D0806913

TEACH YOURSELF BOOKS

A FRENCH READER

A selection of passages intended to help the student towards a fuller understanding of various French usages.

Some other Teach Yourself Language Books

French
A First French
French Dictionary
Everyday French
French Grammar
French Phrase Book
French Revision

German
A First German
German Dictionary
German Grammar
More German
German Phrase Book
German Reader

Italian
Modern Greek
Portuguese
Russian
Spanish

Teach Yourself Books

A FRENCH READER

N. SCARLYN WILSON, M.A.

TEACH YOURSELF BOOKS
ST PAUL'S HOUSE WARWICK LANE LONDON EC 4

First printed 1970

Copyright © 1970
The English Universities Press Ltd

ISBN 0 340 05913 3

Printed and bound in Great Britain for
The English Universities Press Ltd
by C. Tinling and Co. Ltd, London and Prescot

Acknowledgements

Thanks are due to the following writers for their kind permission to print one or more extracts from their work:—

Michel Boutron, Jean l'Hôte, Marcel Pagnol and Georges Simenon.

Thanks are likewise due to M. Gaston Leroux for permission to reproduce a passage from his father's *Mystère de la Chambre Jaune*, and to M. Claude Leblanc for permission to reproduce an extract from *L'Aiguille Creuse* by the late Maurice Leblanc.

The following publishers have kindly granted the authorization to reprint passages from works of which they own the copyright:—

Les Éditions Denoël (M. Blancpain).

Librairie Arthème Fayard (P. Bourget).

Librairie Ernest Flammarion (Duc de La Force).

N.R.F. Editions Gallimard (G. Boutelleau, A. Camus, P. Gascar, A. Gide, J. M. G. Le Clézio, J. Prévert, M. Proust, and J. Romains).

Éditions Bernard Grasset (F. Mauriac and A. Maurois).

René Julliard, Ed. (M. Boutron).

Calmann-Lévy, Ed., (A. France, G. Lenotre and M. de Saint-Pierre).

Mercure de France (G. Duhamel).

Albin Michel, Ed., (P. Benoit).

Les Éditions Mondiales (M. Guy and P. Vialar).

Librairie Académique Perrin (G. Lenotre).

Éditions du Seuil (Geneviève Dormann and Jean L'Hôte).

La Table Ronde (J. Anouilh).

Le Figaro (Various extracts).

Le Monde (Various extracts).

Librairie Plon (P. Bourget and P. Morand).

The title, author and publisher of all extracts still subject to copyright will be found at the close of each of the extracts concerned.

Contents

Chapter 7 TRANSLATING REFLEXIVE VERBS

Chapter 8 THE SUBJUNCTIVE

Chapter 9 SOME DIFFICULT TURNS OF PHRASE

1 Easy Passages

When faced with a passage in French for translation into English, there are two preliminary steps to be taken. First, to read the passage through, so as to get a general idea of what it is about. Second, to try to determine its nature, whether, for instance, it is humorous or satirical, narrative or descriptive, formal or colloquial.

These recommendations may seem and, indeed, are elementary. In practice, however, they are not always observed, yet they are vital because it is the business of the translator to render not only the sense, but, if possible, something also of the style, of the original. In speech shades of meaning are often indicated by intonation. The phrase 'What a crowd!' would be pronounced in a very different tone by a theatre-manager contemplating a long queue and by a late-comer at the tail of it. In writing, the difference could be conveyed by using 'enthusiastically' in one case and 'gloomily' in the other. These distinctions a translator should not find it difficult to make. But there are other instances when he has to seek for the phrase appropriate to the context. For example, a man entering a picture gallery with a friend might remark with faint surprise: '*Il y a du monde*'. The phrase is not slang, but it is colloquial and 'What a lot of people!' would be an adequate rendering of it. But it would be inappropriate to use it when translating an article by a French-Canadian journalist who refers with justifiable pride to '*cette infinité de monde qui a trouvé moyen de visiter l'Exposition '67 à Montréal*'. Here, clearly we need some such phrase as 'the countless numbers of people', 'the enormous crowds'. The literal 'this infinity of people' will not do, because it doesn't sound right in English. Finally, on this subject of crowds, travellers in Paris may be adjured not to travel during '*les heures d'affluence*'. A dictionary will tell us, if we do not know it already, that *affluence* is one of the words for 'a crowd', and we should not be absolutely wrong in rendering the phrase by 'the hours when crowds of people (will be travelling)'. But, of course, the real equivalent of *heures d'affluence* is 'rush hour' or 'peak periods'.

The first two or three extracts in this book are straightforward and present little difficulty either of vocabulary or of construction. Even so, in the first, there are one or two points to be considered if the translation is to be satisfactory.

In the opening paragraph the phrase *il faut* followed by an infinitive occurs twice. Translated literally the first of these two phrases would begin 'Not only, it is necessary to be in class the model pupil'. The sense is clear enough, but the sentence simply 'isn't English'. The word order is wrong and should be changed to 'Not only is it necessary to be the model (or perhaps "perfect") pupil in class'.

Almost immediately *il faut* occurs again. This time no inversion is needed, nevertheless 'is necessary' twice in succession seems ungainly and we should probably do better to amend the passage to: 'Not only must he be the perfect pupil in class . . . but he must also do additional work at home' (or 'extra home-work').

This question of word order arises again in the second paragraph, which, literally translated, would begin as follows: 'That evening my Father had given as subject of French composition to do at home'.

Here also the order of words makes for awkwardness. The aim should be, while remaining faithful to the original, to produce a version which runs naturally in English. We might therefore put here: 'That evening, my Father had set us as home-work an essay on, "What career would you like to follow and why?"'

When translating from a foreign language into English occasional recourse to a dictionary is essential. It can, however, be overdone, because it is in fact often comparatively easy to guess the meaning of a word. Besides, one's knowledge of a language is not increased by slavish reference to a dictionary.

In French there are many words which in spelling and meaning are quite or almost identical with English words; notably of course the many which in each language end in *-tion, sensation, réaction, création* for instance. This holds good also of other words derived from the same root: *sensationnel, réacteur, réactionnaire* and *créateur* or *créature*. It is true of course that similarity in spelling may sometimes be misleading. *Large,* as everyone knows, means 'broad' not 'large', and *sensible* is far more likely to mean 'sensitive' than 'sensible'. Despite the danger represented by such *faux amis* the meaning of many French words can be accurately surmised without delving in a dictionary. The fact that the great majority of French words and a considerable number of English ones—not only those ending in *-tion*—have a common origin in Latin makes things easier for an English person translating from French than they would be if he were faced with a passage in German. The meaning of *Waffenstillstand* for instance is far from obvious. Split up into its components meaning, respectively, 'Weapons', 'still' and 'stand' one might, even then, think it prudent to consult a dictionary, whereas its equivalent 'armistice' is identical in French and English.

Not everybody nowadays has even a rudimentary knowledge of Latin. People who have enjoy some

advantage when it comes to making an intelligent
guess at the meaning of a French word. If, for example,
he remembers that one of the Latin words meaning
'to know' is *cognoscere*, he should have no great difficulty in identifying the modern French equivalent
connaître, nor would he be surprised to find that in the
17th century the spelling was *connoître*, the 'o' sur-
viving in the English 'connoisseur', an expert, particularly in matters of art, whereas in modern French
the spelling is *connaisseur*, with an 'a' to match the
modern verb form. But, leaving out any recollections
of Latin, it is possible to get some help in making an
intelligent guess at the meaning of a French word.
It is useful to realise that a circumflex accent occurring
anywhere in a word and an acute accent on an 'e' in the
first syllable of a word both indicate that either in the
Latin original or in the French word derived from it
there was, instead of the accents of the modern spelling,
either an 's' or an 'x'. By supplying the letter we can
often guess the meaning of the French word.

For example *épouser*—'to espouse'
Côte—'coast'
pâture—'pasture'
pâte—'paste'
époux(épouse)—'a husband(wife)
étendre—'to extend' or 'stretch'
épandre—'to expand'
répondre—'to respond', 'to answer'

Of less frequent occurrence, but still sufficiently so
to be helpful, is the case that where there is now the
letter *u* or perhaps *û* there was in Latin and may now
be in the equivalent English word either an 's' or an 'l'.

résoudre—'to resolve'. The past participle is in fact
résolu 'resolved' or 'resolute'.

Again *dégoût*—'disgust'
    coutume—'custom'
    faux—'false'

Such hints will certainly not solve all difficulties, but they can be of considerable use.

With these few preliminary observations the way is now clear to start the process of translation.

Homework

J'avais neuf ans et j'étais l'élève de mon père. La situation des fils d'instituteurs n'est guère enviable. Non seulement il faut être en classe l'élève modèle qui reçoit seul des coups de règle sur les doigts, à titre d'exemple, mais il faut encore faire à la maison des devoirs supplémentaires, citer à n'importe quel moment du repas la date de la bataille d'Azincourt ou dire à la première personne rencontrée pendant la promenade du dimanche si les pattes du hanneton se rattachent au thorax ou bien à l'abdomen.

Ce soir-là mon père nous avait donné comme sujet de composition française à faire à la maison: 'Dites quelle est la carrière que vous aimeriez embrasser et pourquoi.' J'étendis sur la table de la cuisine une double page de journal, déballai minutieusement mon attirail d'écolier et me mis à rêvasser. A cette époque de l'année, les hirondelles se rassemblent tous les soirs avant leur grand départ vers les pays qui ne connaissent pas l'hiver. J'aurais passé toutes mes soirées à les regarder, par la fenêtre ouverte, qui tournaient dans le ciel en poussant leur long cri. Mais ma mère était remontée de l'école, énervée sans doute par l'inexplicable absence de mon père, et il me fallut examiner sérieusement quelle carrière je voulais embrasser. D'ailleurs le sens de cette expression m'échappait

totalement. Pour moi, une carrière était un grand trou
taillé dans une colline.

La Communale (pp. 8–9) by Jean l'Hôte,
(Paris, Éditions du Seuil, 27 Rue Jacob, Paris 6), 1957.

International Youth Camp: The Misfit

La piscine était devenue noire, la cloche avait sonné la
fin du bain. De Siegfried, cet étranger sur cette terre,
comme sur toute autre, la masse des arbres semblait
s'approcher. Des enfants passaient par groupes, par-
lant des langages différents, mais tous uniformément
joyeux, débordants de bonheur. Ce bonheur insolent
ruisselait sur les plaies de Siegfried comme un flot
d'acide, il exacerbait sa souffrance, magnifiait sa
détresse et son amertume. Il rageait de se sentir du
même sang que ces garçons sains que la guerre n'avait
pas meurtris, et il sentait gronder en lui ce reproche
sans cesse renaissant: pourquoi moi, toujours moi?
Qu'avaient-ils fait, eux, pour passer à travers, à quelles
lâchetés leurs parents s'étaient-ils donc résignés?
    Dans la confusion de son esprit, rampait et se
dressait le serpent de la vengeance. Siegfried aurait
voulu être seul sur la terre, seul avec les arbres et les
eaux, seul à se questionner dans le miroir de l'onde:
était-il aussi méprisable qu'eux tous? Mais il n'arrivait
pas a être seul, la piscine ne parvenait pas à se vider.
Il s'élevait des enfants de partout, et ils tournaient
autour de lui comme un carrousel. Il remarqua qu'en
passant près de lui leurs voix s'apaisaient. Ce garçon
immobile sur la margelle leur faisait peur. Avec beaucoup de douceur, peut-être fussent-ils parvenus à le
libérer d'un passé trop lourd, mais ils le regardaient

comme un témoignage gênant, ne parvenant même
pas à le reconnaître comme un des leurs.

Les Enfants du Matin (pp. 42–3) by Michel Boutron,
(Julliard, Ed., 30 Rue de l'Université, Paris 7), 1953.

Indians and Palefaces

Les études entomologiques commençaient à nous
lasser, lorsque nous découvrîmes notre véritable
vocation.

Après le déjeuner, lorsque le soleil africain tombe
en pluie de feu sur l'herbe mourante, on nous forçait à
nous 'reposer' une heure, à l'ombre du figuier, sur
ces fauteuils pliants nommés 'transatlantiques' qu'il
est difficile d'ouvrir correctement, qui pincent cruelle-
ment les doigts, et qui s'effondrent parfois sous le
dormeur stupéfait.

Ce repos nous était une torture, et mon père, grand
pédagogue, c'est-à-dire doreur de pilules, nous le fit
accepter en nous apportant quelques volumes de
Fenimore Cooper et de Gustave Aymard.

Le petit Paul, les yeux tout grands, la bouche
entr'ouverte, m'écouta lire à haute voix le 'Dernier
des Mohicans'. Ce fut pour nous la révélation, con-
firmée par le 'Chercheur de Pistes': nous étions des
Indiens, des fils de la Forêt, chasseurs de bisons,
tueurs de grizzlys, étrangleurs de serpents boas et
scalpeurs de Visages Pâles.

Ma mère accepta de coudre—sans savoir pourquoi—
un vieux tapis de table à une couverture trouée, et
nous dressâmes notre wigwam dans le coin le plus
sauvage du jardin.

J'avais un arc véritable, venu tout droit du Nouveau
Monde en passant par la boutique du brocanteur. Je

fabriquai des flèches avec des roseaux, et, caché dans
les broussailles, je les tirais férocement contre la porte
des cabinets, constitués par une sorte de guérite au
bout de l'allée. Puis, je volai le couteau 'pointu' dans
le tiroir de la cuisine: je le tenais par la lame, entre le
pouce et l'index (à la façon des Indiens Comanches)
et je le lançais de toutes mes forces contre le tronc
d'un pin, tandis que Paul émettait un sifflement aigu,
qui en faisait une arme redoutable.

La Gloire de Mon Père (pp. 154–5) by Marcel Pagnol,
(Éditions de Provence, 146 Av. des Champs Élysées, Paris 8), 1957.

A Local Celebrity

Pendant la longue vie parlementaire de son mari,
Mme. de la Guichardie avait habité Paris, tout en
maintenant avec soin ses attaches périgourdines.
Depuis la guerre, plus âgée et ne voyageant pas sans
fatigue, elle ne quittait plus son château qui était fort
beau et, du sommet de sa colline, elle régnait sur la
région. Ses jugements y avaient force de loi. Les
curés la craignaient parce qu'elle invitait l'évêque à
dîner, les fonctionnaires, parce qu'elle connaissait
les ministres. Un nouvel arrivant était reçu ou ne
l'était pas, suivant qu'il était agréé ou non par la
souveraine, car elle était à la fois une admirable amie
et une redoutable ennemie, son choix entre ces deux
attitudes étant imprévisible et toujours dicté par des
faits assez petits.

   Par exemple, elle avait adopté les Romilly dès qu'ils
avaient acheté Preyssac parce que Romilly, qui lui
avait été adressé par un ami commun, l'avait consulté
sur le choix d'un domaine et avait suivi ses conseils.
Elle eût été sévère et peut-être impitoyable pour de

nouveaux venus, si elle ne les avait trouvés dociles.
En restaurant, comme elle le leur conseillait, un
château très cher à ce pays, ils avaient satisfait à la fois
son goût de l'autorité et son patriotisme périgourdin.
Ils étaient devenus ses protégés, puis ses amis, et son
appui avait été d'un prix infini pour des étrangers que
personne, au moment de leur arrivée, ne connaissait.

L'Instinct du Bonheur (pp. 26–27) by André Maurois,
(Éditions Bernard Grasset, 61 Rue des Saints-Pères, Paris 6), 1934.

Happily Mad

Les fous m'attirent, ces gens-là vivent dans un pays mystérieux de songes bizarres, dans ce nuage impénétrable de la démence où tout ce qu'ils ont vu sur la terre, tout ce qu'ils ont aimé, tout ce qu'ils ont fait recommence pour eux dans une existence imaginée en dehors de toutes les lois qui gouvernent les choses et régissent la pensée humaine.

Pour eux l'impossible n'existe plus, l'invraisemblable disparaît le féerique devient constant et le surnaturel familier. Cette vieille barrière, la logique, cette vieille muraille, la raison, cette vieille rampe des idées, le bon sens, se brisent, s'abattent, s'écroulent devant leur imagination lâchée en liberté, échappée dans le pays illimité de la fantaisie, et qui va par bonds fabuleux sans que rien l'arrête. Pour eux tout arrive et tout peut arriver. Ils ne font point d'efforts pour vaincre les événements, dompter les résistances, renverser les obstacles. Il suffit d'un caprice de leur volonté illusionante pour qu'ils soient princes, empereurs ou dieux, pour qu'ils possèdent toutes les richesses du monde, toutes les choses savoureuses de la vie, pour qu'ils jouissent de tous les plaisirs, pour qu'ils soient toujours forts, toujours beaux, toujours jeunes, toujours chéris! Eux seuls peuvent être heureux sur la terre, car, pour eux, la Réalité n'existe plus. J'aime à me pencher sur leur esprit vagabond, comme on se penche sur un gouffre où bouillonne tout au fond un torrent inconnu, qui vient on ne sait d'où et va on ne sait où.

Mais à rien ne sert de se pencher sur ces crevasses, car jamais on ne pourra savoir d'où vient cette eau, où va cette eau. Après tout, ce n'est que de l'eau pareille à celle qui coule au grand jour, et la voir ne nous apprendrait pas grand chose.

Madame Hermet by Guy de Maupassant (1850–93).

An Eccentric

Dans sa mise, qu'elle croyait être correcte et même sobre, régnait ce vague désordre, ce rien d'extravagance où se trahissent les femmes vieillissantes qui n'ont plus personne pour leur donner des conseils. Thérèse enfant avait ri souvent de sa tante Clara, parce que la vieille fille ne pouvait se défendre de détruire les chapeaux qu'on lui achetait et de les refaire à son idée. Mais aujourd'hui, Thérèse cédait à la même manie et tout prenait sur elle, à son insu, un caractère bizarre. Peut-être deviendrait-elle plus tard une de ces étranges vieilles coiffées de chapeaux à plumes, qui parlent toutes seules sur les bancs des squares, en rattachant des paquets de vieux chiffons.

Elle n'avait pas conscience de cette étrangeté ; mais elle s'apercevait bien qu'elle avait perdu ce pouvoir dont les solitaires ne peuvent se passer,—le pouvoir des insectes qui prennent la couleur de la feuille et de l'écorce. De sa table, au café ou au restaurant, Thérèse, pendant des années, avait épié des êtres qui ne la voyaient pas. Qu'avait-elle fait de l'anneau qui rend invisible ? Voici maintenant qu'elle attire tous les regards comme la bête inconnue du troupeau.

Ici, du moins, entre ces quatre murs, ce plancher affaissé, ce plafond qu'elle aurait pu toucher de sa main levée, elle était assurée d'être à l'abri. Mais il fallait trouver la force de rester dans ces limites. Or, ce soir, elle se sentait impuissante à demeurer seule.

La Fin de la Nuit (pp. 13–14) by François Mauriac, (Éditions Bernard Grasset, 61 Rue des Saints-Pères, Paris 6), 1935.

Polling Day

Comme de coutume, la première salle de classe servait de bureau de vote et sur le tableau noir étaient placardés affiches et décrets. Dans le coin gauche, se dressaient les deux boîtes rectangulaires laissant voir cependant les pieds des votants. Une fois sorti de la cachette, il suffisait de faire disparaître l'enveloppe dans la boîte du scrutin fermée par deux cadenas, placée au centre de la grande table, derrière laquelle avaient pris place quatre conseillers.

Cette journée de vote aurait ses heures de presse, ses heures mondaines après la messe et, à partir de quatre heures de l'après-midi, ses moments creux et ennuyeux, réservés aux isolés venus des hameaux, à vélo, à pied, de petites vieilles, des retraités qui sortaient bien rarement de leur logis. Quelques femmes s'excusèrent d'être seules mais leur mari faisait la sieste et il viendrait un peu plus tard. Un garçon superbe en blouson bleu de travail, l'oeil glauque, à peu près ivre, sortit sa carte d'identité établie récemment mais on lui refusa la droit de vote : il n'était pas inscrit sur la liste électorale. Pourquoi ? 'C'était à lui de faire la demande.' 'Et la commune, le conseil ! une machination des patrons, tous les mêmes !' Il sortit en titubant.

A partir de trois heures, les gens venaient plutôt par groupes, en famille, les enfants s'amusaient de voir les bancs de leur classe entassés dans le fond de la salle avec les livres et les instruments de travaux pratiques, comme à la veille des vacances.

La dernière équipe des conseillers prit enfin le relais et à vingt heures précises la séance fut levée.

Le Grand Ensemble (p. 205) by Gérard Boutelleau
(N.R.F., Gallimard, 5 Rue Sébastien-Bottin, Paris 7), 1962.

Dropping the Message

In the war of 1870 an elderly general in command of a reconnaissance balloon and crew practises dropping messages while standing on top of a Church Tower.

Du haut du clocher, le général Lafont d'Amadieu n'aperçut pas les Uhlans qui galopaient au loin sur la route, en direction de la forêt. Son occupation présente accaparait son attention bien davantage. Profitant de ce que la manœuvre se déroulait bien, il essaya d'en

perfectionner la technique. Il se pourrait en effet
qu'une fois sur le champ de bataille, il eût a faire des
observations si détaillés que le code par gestes ne
suffît plus à les traduire. Il serait alors plus simple
d'en écrire le texte sur un papier qui serait tout
simplement jeté par-dessus la nacelle. Ses hommes
n'auraient qu'à le ramasser et le porter à l'État-Major.
Ce procédé avait en outre l'avantage d'éviter les
erreurs de transmission et de préserver le secret des
messages.

Il rédigea un texte imaginaire sur un papier qu'il
plia en quatre et jeta du haut du clocher.

Il n'y avait à proprement parler pas de vent cet
après-midi-là. Néanmoins, une brise légère soufflait
et le message du général se mit à flotter dans l'air.
Léon fit tout ce qu'il put pour l'attraper mais un bout
de papier qui vole se conduit d'une manière capricieuse.
Tantôt il descend lentement, régulièrement, comme
s'il allait se laisser cueillir à la hauteur convenable,
tantôt au contraire il fait des bonds brusques et
incompréhensibles à droite, à gauche, vers le haut et
il oblige son poursuivant à l'imiter au sol d'une manière
quelquefois grotesque. Léon fut ainsi entraîné assez
loin de l'église, il enjamba plusieurs fois un même
ruisseau, traversa un buisson de ronces et s'égara dans
une plantation de melons.

—Revenez, Riffard, revenez! criait le général du
haut du clocher.

Un Dimanche au Champ d'Honneur (p. 74) by Jean l'Hôte
(Éditions du Seuil, 27 Rue Jacob, Paris 6), 1958.

2 The Use of *On*

The word *on* is often used in French as a third person singular subject pronoun when no particular individual or collection of people is specified. In this, of course, it corresponds to the English 'one' or, according to circumstances, to 'we', 'you', 'they', 'people', 'someone'.

On ne sait jamais : 'one never knows' or 'you never can tell'.

Sometimes none of these English alternatives to 'one' is satisfactory. In that case a phrase containing *on* may best be recast altogether in English.

On vous demande au téléphone can be translated as 'somebody wants you on the telephone' but 'you are wanted on the telephone' is at least as good a version.

Again *On ne s'y habitue pas* could be rendered as 'one doesn't get used to it', but possibly 'It's not easy to get used to that' would be better.

Phrases in which *on* occurs only once seldom present much difficulty. It is when it is repeated that a problem arises, because sentences such as 'one doesn't want to pay twice, does one?' are never elegant. Consider for example: *On se laisse prendre ainsi à des sentiments qu'on estime passagers :* the rendering 'one allows oneself thus to be captured by feelings which one believes to be ephemeral' conveys the sense, but it is clumsy. It would be better to replace the first phrase by an impersonal construction. 'It is easy enough in this way to become possessed by emotions which one believes to be fleeting'. Indeed the second 'one' could also be got rid of by putting 'in the belief that they are fleeting'.

On the other hand, it is a mistake to think that to

use 'one' as a translation of *on* must always be avoided. This error can lead to contorting sentences when in reality a perfectly simple and straightforward translation is called for. Often, of course, it is a matter of the style of the original passage which dictates the choice of words in translation.

Take for instance: *On se lève, on mange, on travaille, on rentre chez soi, on se couche—voilà le train-train quotidien de la vie.* With the object of avoiding 'one' the sentence could be recast and translated as: 'The daily routine of life consists of getting up, eating, walking, returning home and going to bed'. In certain contexts this version might be perfectly suitable. It is, however, somewhat sententious, and if we want a less formal rendering we can get it by using 'one' only once: 'One gets up, eats, works, comes home and goes to bed—that's the daily round (for most of us)'.

Sentences containing *on* occur in many passages of this book, but here are three in which they are particularly prominent.

A Practical Joke

Alors je m'assis avec précaution. Le fauteuil était solide. Je n'osais pas me coucher. Cependant le temps marchait. Et je finis par reconnaître que j'étais ridicule. Si on m'espionnait, comme je le supposais, on devait, en attendant le succès de la mystification préparée, rire énormément de ma terreur.

Je résolus donc de me coucher. Mais le lit m'était particulièrement suspect. Je tirai sur les rideaux. Ils semblaient tenir. Là était le danger, pourtant. J'allais peut-être recevoir une douche glacée du ciel de lit, ou bien, à peine étendu, m'enfoncer sous terre avec mon sommier. Je cherchais, en ma mémoire, tous les

souvenirs de farces accomplies. Et je ne voulais pas
être pris. Ah! mais non!

Alors, je m'avisai soudain d'une précaution que je
jugeai souveraine. Je saisis délicatement le bord du
matelas, et je le tirai vers moi avec douceur. Il vint,
suivi du drap et des couvertures. Je traînai tous ces
objets au beau milieu de la chambre, en face de la
porte d'entrée. Je refis là mon lit, le mieux que je pus,
loin de la couche suspecte et de l'alcôve inquiétante.
Puis j'éteignis toutes les lumières, et je revins à tâtons
me glisser dans mes draps. . . .

J'ai dû dormir longtemps, et d'un profond sommeil; mais, soudain, je fus réveillé en sursaut par la
chute d'un corps pesant abattu sur le mien, et en
même temps, je reçus sur le cou, sur la poitrine un
liquide brûlant qui me fit pousser un hurlement de
douleur. Et un bruit épouvantable, comme si un buffet
chargé de vaisselle se fût écroulé m'entra dans les
oreilles. . . .

Je tendis les mains, cherchant à reconnaître la
nature de cet objet. Je rencontrai une figure, un nez.
Alors, de toute ma force, je lançai un coup de poing
dans ce visage. Mais je reçus immédiatement une
grêle de gifles qui me firent sortir d'un bond de mes
draps trempés et me sauver dans le corridor, dont
j'apercevais la porte ouverte.

O stupeur! il faisait grand jour. On accourut au
bruit et on trouva étendu sur mon lit, le valet de
chambre éperdu qui, m'apportant le thé du matin,
avait rencontré sur sa route, ma couche improvisée,
et m'était tombe sur le ventre en me versant, bien
malgré lui, mon déjeuner sur la figure.

La Farce from *Contes du Jour et de la Nuit*
by Guy de Maupassant (1850–93).

The Viewpoint

La curiosité de ce rocher, c'était, du côté de la mer, une
sorte de chaise naturelle creusée par la vague et polie
par la pluie. Cette chaise était traître. On y était
insensiblement amené par la beauté de la vue; on s'y
arrêtait 'pour l'amour du prospect', comme on dit à
Guernesey; quelque chose vous retenait; il y a un
charme dans les grands horizons. Cette chaise s'offrait;
elle faisait une sorte de niche dans la façade à pic du

rocher; grimper à cette niche était facile; la mer qui
l'avait taillée dans le roc avait étagé au-dessous et
commodément disposé une sorte d'escalier de pierres
plates; l'abîme a de ces prévenances; défiez-vous de
ses politesses; la chaise tentait, on y montait, on s'y
asseyait; là on était à l'aise; pour siège le granit usé et
arrondi par l'écume, pour accoudoirs deux anfractuo-
sités qui semblaient faites exprès, pour dossier toute
la haute muraille verticale du rocher qu'on admirait
au-dessus de sa tête sans penser à se dire qu'il serait
impossible de l'escalader; rien de plus simple que de
s'oublier dans ce fauteuil; on découvrait toute la mer,
on voyait au loin les navires arriver ou s'en aller, on
pouvait suivre des yeux une voile jusqu'à ce qu'elle
s'enfonçât au delà des Casquets[1] sous la rondeur de
l'océan, on s'émerveillait, on regardait, on jouissait, on
sentait la caresse de la brise et du flot. . . . On contem-
plait la mer, on écoutait le vent, on se sentait gagné
par l'assoupissement de l'extase. Quand les yeux sont
remplis d'un excès de beauté et de lumière, c'est une
volupté de les fermer. Tout à coup on se réveillait. Il
était trop tard. La marée avait grossi peu à peu. L'eau
enveloppait le rocher.

On était perdu.

Les Casquets, dangerous rocks 5 miles from Alderney. It was on
these that the son of Henry I of England lost his life when the 'White
Ship' was wrecked.

Les Travailleurs de la Mer by Victor Hugo (1802–85).

Vicissitudes of an Historic Building

Bien qu'un mauvais plaisant ait affirmé que les
Chevaux de Marly, dressés à l'entrée des Champs-
Elysées, sont l'image du peuple français, 'toujours

bridé et toujours cabré,' ce peuple est certainement de
tous le plus docile, le plus conciliant, le plus facile à
gouverner: pourvu qu'on lui assure la liberté du
travail, la possibilité de l'économie et la protection
contre les aventures, il se déclare satisfait et n'en
demande davantage. On le vit bien, au cours du dix-
neuvième siècle, alors qu'aucun gouvernement n'at-
teignit sa vingtième année; à Rambouillet comme
ailleurs on supportait stoïquement la secousse du
changement de régime et on se reprenait à vivre, sans
regards sur le passé et sans trop d'illusion sur l'avenir.
Là, comme ailleurs encore, on fit disparaître les bustes
de Charles X, ainsi que, quinze ans auparavant, on
avait supprimé les bustes de l'Empereur; on inaugura
celui de Louis-Philippe par un grand bal dans les
salons du château et on dépêcha à Paris une députation
chargée de présenter au nouveau roi les hommages
de la ville.

Elle pouvait cependant concevoir certaines in-
quiétudes: qu'allait-il advenir de la Forêt et du
Château, ces deux providences du pays? La Cour
bourgeoise du Roi-citoyen affectait un tran-tran
familial fort opposé au luxe traditionnel de la monarchie défunte et l'on craignait de ne plus revoir les
chasses princières et les lucratifs séjours de souverains
auxquels le pays avait dû sa prospérité. On fut bientôt
fixé: Rambouillet était exclu de la dotation accordée
par les Chambres à Louis-Philippe; la Vénerie était
congédiée; le château devait être 'employé ou vendu
par l'État.'

Le Château de Rambouillet (pp. 214–5) by Georges Lenotre
(Calmann-Lévy, Ed. 3 Rue Auber, Paris 9), 1930.

3 The Infinitive

Anybody learning French soon discovers that some verbs require *à* before a following infinitive, others *de* and some no preposition at all. Moreover, in such cases, the notion that *à* means 'to' or 'at' and *de* either 'of' or 'from' has to be modified. Even *pour* preceding an Infinitive does not invariably mean ('in order) to'. If a passage is not to seem very stiff and unnatural in translation it is necessary to consider very carefully how best to render in English any phrase involving an Infinitive with or without a preposition before it.

By way of illustration, look at the following, all of which occur on one page of a short story by Maupassant.

(a) *Je finis par me rappeler ce que j'avais été*—I ended by recalling what I had (once) been.
(b) *J'étais trop bouleversé pour parler*—I was too upset (too bowled over) to speak.
(c) *Il m'a fallu quelque temps pour être sûre de ne point me tromper*—It took me some time to be certain of not being mistaken (that I was not making a mistake).
(d) *Je n'avais rien trouvé à lui dire*—I had found nothing to say to him.
(e) *Elle respirait fortement, essoufflée d'avoir marché vite*—She was breathing heavily, breathless from (as a result of having) walked fast.
(f) *Nous venions de passer Asnières*—We had just passed Asnières.

Here are other examples from different sources:
Vous devez être de retour à six heures—'You must be back at six o'clock.'

Vous devez d'être ici au docteur Z—'it is thanks to Dr Z that you are here'.

L'illustre écrivain qu'il connaissait pour avoir lu des extraits piquants de la Théorie des passions dans des articles de journaux (Le Disciple—P. Bourget)—'the famous author whom he knew through having read . . .'

Enfin j'habite donc Paris, que je connaissais à peine pour l'avoir traversé deux fois (Naïs Micoulin É. Zola)— 'So at last I am living in Paris, of which I knew little, having passed through it only twice.'

Elle avait bien pris l'engagement de ne rien tenter pour se rapprocher de lui (Le Rêve, É. Zola)—'She had certainly undertaken to make no attempt to resume relations with him.'

Je n'eus que le temps de me glisser jusqu'a la porte— 'I had barely time to slip quietly as far as the door' (*Dominique,* E. Fromentin).

Je dus soutenir une espèce de lutte. Mes amis me voulaient encore et tâchaient à me garder. Je me roidissais pour me dépêtrer d'eux (Confessions de Minuit by Georges Duhamel)—'I had to engage in a kind of struggle. My friends still wanted me and tried to keep me. I had to brace myself to get free of them.'

The following extracts have been chosen because the Infinitive of a verb with or without a preposition before it occurs a number of times in each of them, but turns of phrase of this kind are so common that one or more examples of them will be found in virtually all the passages in this book, so that it is advisable to be constantly on the look out for them.

Youth

Nos habitudes étaient celles d'étudiants libres à qui leurs goûts ou leur position permettent de choisir, de

s'instruire un peu au hasard et de puiser à plusieurs
sources avant de déterminer celle où leur esprit devra
s'arrêter. Très peu de jours après, Olivier reçut de sa
cousine une lettre qui nous invitait l'un et l'autre à
nous rendre à Nièvres . . .

Madeleine ne vint point à Paris de tout l'hiver,
diverses circonstances ayant retardé l'établissement
que M. de Nièvres projetait d'y faire; elle était
heureuse, entourée de tout son monde; elle avait
Julie, son père; il lui fallait un certain temps pour
passer sans trop de secousse, de sa modeste et régulière
existence de province, aux étonnements qui l'attendaient dans la vie du monde . . . Je la revis une ou
deux fois dans l'été, mais à de longues intervalles et
pendant de très courts moments, lâchement surpris à
l'impérieux devoir qui me recommendait de la fuir.

J'avais eu l'idée de profiter de cet éloignement très
opportun pour tenter franchement d'être héroïque et
pour me guérir. C'était déjà beaucoup que de résister
aux invitations qui constamment nous arrivaient de
Nièvres. Je fis davantage, et je tâchai de ne plus y
penser. Je me plongeai dans le travail.

Dominique by E. Fromentin (1820–76).

Before the Duel

Les étoiles brillaient; il les contempla. L'idée de se
battre pour une femme le grandissait à ses yeux,
l'ennoblissait. Puis il alla se coucher tranquillement.

Il n'en fut pas de même de Cisy. Après le départ du
baron, Joseph avait tâché de remonter son moral, et,
comme le vicomte demeurait froid: 'Pourtant, mon
brave, si tu préfères en rester là, j'irai le dire.'

Cisy n'osa répondre 'certainement', mais il en

voulut à son cousin de ne pas lui rendre ce service sans
en parler.

Il souhaita que Frédéric, pendant la nuit, mourût
d'une attaque d'apoplexie, ou qu'une émeute surve-
nant, il y eût le lendemain assez de barricades pour
fermer tous les abords du bois de Boulogne, ou qu'un
événement empechât un des témoins de s'y rendre;
car le duel faute de témoins manquerait. Il avait
envie de se sauver par un train express n'importe où.
Il regretta de ne pas savoir la médicine pour prendre
quelque chose qui, sans exposer ses jours, ferait croire
à sa mort. Il arriva jusqu'à désirer être malade gravement.

L'Éducation Sentimentale by Gustave Flaubert (1821–1880).

Before the Arrival of Jeanne d'Arc

La Reine Yolande. Ce sont les grands qui gouvernent
le royaume et c'est justice; Dieu l'a remis entre leurs
mains. Mais sans vouloir me mêler de juger les
décisions de la Providence, je suis étonnée quelquefois
qu'Elle ne leur ait pas donné en même temps, comme
Elle l'a fait généreusement aux plus humbles de Ses
créatures, meilleure mesure de simplicité et de bon
sens.

Charles: Et de courage!

La R.Y.: Et de courage, Charles.

C.: En somme, belle-maman, à ce que je crois comprendre, vous êtes pour confier le gouvernement aux
peuples? A ces bons peuples qui ont toutes les
vertus? Vous savez ce qu'il fait ce bon peuple,
quand les circonstances le lui offrent, le pouvoir?
Vous avez lu l'histoire des tyrans?

La R.Y. : Je ne connais rien de l'Histoire, Charles. De mon temps, les filles de roi n'apprenaient qu'à filer; comme les autres.

C. : Eh bien, moi, je la connais, cette suite d'horreurs et de cancans, et je m'amuse quelquefois à en imaginer le déroulement futur pendant que vous me croyez occupé à jouer au bilboquet. On essaiera ce que vous préconisez. On essaiera tout. Des hommes du peuple deviendront les maîtres des royaumes, pour quelques siècles—la durée du passage d'un météore dans le ciel—et ce sera le temps des massacres et des plus monstrueuses erreurs. Et au jour du jugement, quand on fera les additions, on s'apercevra que le plus débauché, le plus capricieux de ses princes aura coûté moins cher au monde en fin de compte, que l'un de ces hommes vertueux. Donnez-leur un gaillard à poigne, venu d'eux, qui les gouverne et qui veuille les rendre heureux, coûte que coûte, mes Français, et vous verrez qu'ils finiront par le regretter, leur petit Charles avec son indolence et son bilboquet. Moi, du moins, je n'ai pas d'idées générales sur l'organisation du bonheur. Ils ne se doutent pas encore combien c'est un détail inappréciable.

La R.Y. : Vous devriez cesser de jouer avec ce bilboquet, Charles, et de vous asseoir à l'envers sur votre trône! Cela n'est pas royal!

C. : Laissez-moi donc. Quand je rate mon coup, au moins c'est sur mon doigt ou sur mon nez que la boule retombe. Cela ne fait de mal à personne, qu'à moi.

L'Alouette (pp. 93–95) by Jean Anouilh,
(La Table Ronde, 40 Rue du Bac, Paris 7), 1953.

A Bad Bargain

. . . Le capitaine dit adieu à Tamango et s'occupa de
faire au plus vite embarquer sa cargaison. Il n'était
pas prudent de rester longtemps en rivière; les
croiseurs pouvaient reparaître, et il voulait appareiller
le lendemain. Pour Tamango, il se coucha sur l'herbe,
à l'ombre, et dormit pour cuver son eau-de-vie.

Quand il se réveilla, le vaisseau était déjà sous voiles
et descendait la rivière. Tamango, la tête encore

embarrassée de la débauche de la veille, demanda sa femme Ayché. On lui répondit qu'elle avait eu le malheur de lui déplaire, et qu'il l'avait donnée en présent au capitaine blanc, lequel l'avait emmenée à son bord. A cette nouvelle, Tamango stupéfait se frappa la tete, puis il prit son fusil, et, comme la rivière faisait plusieurs détours avant de se décharger dans la mer, il courut, par le chemin le plus direct, à une petite anse, éloignée de l'embouchure d'une demi-lieue. Là, il espérait trouver un canot avec lequel il pourrait rejoindre le brick, dont les sinuosités de la rivière devaient retarder la marche. Il ne se trompait pas : en effet, il eut le temps de se jeter dans un canot et de joindre le négrier.

Ledoux fut surpris de le voir, mais encore plus de l'entendre redemander sa femme . . .

Le noir insista, offrant de rendre une partie des objets qu'il avait reçus en échange des esclaves. Le capitaine se mit à rire ; dit qu'Ayché était une très bonne femme, et qu'il voulait la garder. Alors le pauvre Tamango versa un torrent de larmes, et poussa des cris de douleur aussi aigus que ceux d'un malheureux qui subit une opération chirurgicale. Tantôt il se roulait sur le pont en appelant sa chère Ayché ; tantot il se frappait la tête contre les planches, comme pour se tuer. Toujours impassible, le capitaine, en lui montrant le rivage, lui faisait signe qu'il etait temps pour lui de s'en aller ; mais Tamango persistait Il offrait jusqu'à ses épaulettes d'or, son fusil et son sabre. Tout fut inutile.

Tamango by Prosper Mérimée (1803–1870).

4 Some Uses of *Que*

Que, as we know, has various meanings. Though short, it is often a key word, since if it is not rightly interpreted, the sense of a passage may be altogether falsified. Compare, for example, *je crois bien qu'elle est à Paris* with *bien qu'elle fût née à Paris*. The first *qu'* means 'that', the second forms part of the conjunction 'although'.

In addition to meaning 'whom', 'that', 'which', 'than', *que* can also be used with the meaning, and to avoid the repetition, of *si* 'if', in which case it requires the subjunctive: *s'il vient et que je le voie*, 'if he comes and if I see him'.

In conjunction with *ne* it has the meaning of 'only' or 'nothing but'. Despite the *ne*, *ne . . . que* does NOT mean 'not only'.

vous n'avez qu'à parler, 'you have only to speak'.

elle pensait qu'il ne pourrait rien se produire que ce qu'elle avait prévu, 'she thought that nothing could happen but what she had foreseen'.

Contrast this with: *il n'y avait pas que de la religion dans ce désir* (A. France, *Histoire Comique*), 'there was not only religion behind this wish'.

'Not only' can also be rendered by *pas seulement* or *non seulement*.

avec elle non seulement je n'éprouvai jamais aucune gêne,' 'with her, not only did I never feel any constraint'.

In straightforward comparisons 'than' is *que*. *Elle est plus âgée que moi*, but coming between *plus* or *moins* and a numeral it is *de : plus de dix*, 'more than ten'.

This is simple enough but we must be on the look-out for an untranslated *ne* in the second member of a comparison of inequality, when the first member is not negative or does not imply negation. This may sound involved, but it can be simply illustrated:

elle est plus (moins) pauvre qu'elle ne l'était, 'she is poorer (less poor) than she used to be'.

But *elle n'est pas plus (moins) pauvre qu'elle l'était,* 'she is not poorer (less poor) than she used to be.' In a concocted example the difference is readily apparent. It may be less so in a genuine passage, such as *j'ai fait beaucoup plus pour lui que ne le demandait la simple humanité,* 'I did much more for him than mere humanity required'.

Language, however, is a living thing and authors do not always abide by rules laid down by grammarians, so we find: *il devait connaître Alain mieux que je le pensais* and *vous avez constaté que je ne me fais pas meilleure que je ne suis*, both from *Maigret et le Vieillard* by Georges Simenon (pp. 94 and 99).

Finally, in this section, there is the use of *que* in emphatic or exclamatory phrases. In such cases *que* is usually not translated at all, but its presence is at first sight disconcerting.

The flat unemphatic statement *Paris est une belle ville* can be given life and emphasis by being turned into *c'est une belle ville que Paris.*

Here are other examples:

C'est presque la réhabiliter que de la mêler à ces confidences (E. Fromentin *Dominique*). 'To make her share in these confidences was almost to reinstate her in her former position'.

Quel étrange monde que ce monde parisien, si poli et si gâté à la fois (E. Zola, *Naïs Micoulin*).

Again, *Ne serait-ce pas un meurtre que de la laisser mourir,* 'would not to let her die be tantamount to murder?'

Madame de Bennes, Hommes d'armes

Le 9 juillet (1794), les chasseurs nobles campaient dans
le faubourg d'Ixelles, aux portes de la grande ville belge.
La châtelaine du Bois-Mancelat avait suivi cette rude
campagne sans faiblir; l'un des officiers de la légion,
le comte de Neuilly, auquel le hasard d'une nuit de
bivouac permit d'être perspicace et de surprendre
cette pauvre femme, harassée de fatigue, dormant dans
un désordre révélateur, écrivait plus tard en rédigeant
ses souvenirs d'émigration: '—Aussi courageuse que
son époux, elle faisait son service avec une rare
exactitude: ses armes, son fourniment étaient toujours
bien tenus'; on citait ce chasseur modèle pour son
endurance et son courage.

'Cependant,' ajoute Neuilly, 'quelques-uns, je ne
sais sur quels indices, soupçonnaient sa véritable
identité, mais sans se permettre d'y faire la moindre
allusion. Le ton de parfaite politesse, de règle en ces
bataillons nobles, excluait tout bavardage inconsidéré,
et pas un de ces gentilhommes n'eût divulgué un
secret, depuis longtemps deviné peut-être, mais dont
l'ébruitement pouvait désobliger une héroïque camarade. Le couple, d'ailleurs, par son infortune et sa
vaillance, inspirait le respect à tous ces braves malheureux; car le mari, rapidement guéri de sa blessure,
avait repris aux côtés de sa femme son rôle de protec-
teur;' il avait présenté celle-ci comme étant 'son
frère'; c'eût été lui infliger un démenti que de suspecter
cette attestation. Voilà qui explique le silence gardé
par tous les compagnons de Mme de Bennes. Jeune
et jolie elle les aurait, sans nul doute, intéressés davantage et leur reserve eût été plus méritoire; il faut bien
rappeler, dût l'héroïne de ce récit en perdre quelque

prestige, qu'elle comptait à cette époque quarante-trois ans.

Vieilles Maisons, Vieux Papiers (Sixième Série) (pp. 189–90)
by Georges Lenotre
(Perrin et Cie, Ed. 35 Quai des Grands Augustins, Paris 6), 1930.

Note

Mme. de Bennes and her husband, impoverished Norman nobles, left home in 1792 and made their way to the Netherlands where, she passing as her husband's brother, the two joined a Royalist force which, it was hoped, would succeed in restoring the monarchy. In fact the husband was killed, and the wife imprisoned in Vannes in 1798 from which friends contrived her escape to London. In 1803 she was in Hamburg, whence she returned the following year to the (still existing) Manoir du Bois-Mancelet. In 1820 she was decorated by Louis XVIII for her services to the Royalist cause. She died in 1838 at the age of 87.

The Future of London—As Foreseen in 1933

Londres est ma mascotte; tout ce que j'en ai reçu m'a porté bonheur.

Ce que cette ville sera demain?

Elle va changer: basse, elle va s'élever, grâce à l'acier et au béton armé; dans son besoin de respirer un air pur, elle va gagner de plus en plus la campagne (bien que H. G. Wells prétende que Londres étant arrivé à son apogée comme Paris, les deux capitales ne pourront plus que décroître). Bientôt ses faubourgs se trouveront à l'entrée du tunnel sous la Manche. Plus rapproché de Paris que ne le sont Lyon ou Bordeaux, Londres subira alors l'influence directe d'un continent dont il croyait s'être détaché définitivement, dès la Renaissance; il la subira de toutes façons, même sans tunnel, lorsque les omnibus aériens fondront de toutes parts, et heure par heure, sur sa ceinture d'aérodromes.

Sera-t-il centre d'un Grand Empire ou sa succursale ? Nos fils verront-ils une capitale dénationalisée où le Premier Ministre sera canadien, la presse australienne, le roman néo-zélandais, la musique rhodésienne, la langue afrikander ? (Déjà les Africains bilingues du

Cap parlent un patois hollandais qui tend à expulser la langue anglaise). Ou bien ces grands fruits mûrs que sont les Dominions s'étant détachés de l'arbre, Londres deviendra-t-il une maison de retraite, une paisible Hollande de traditions et de musées, endormie à côté de son abbaye de Westminster? La houille et le pétrole ayant disparu d'un monde mû par l'électricité, reverrons-nous les moutons paître au bord d'une Tamise sans fumées, comme au temps des Plantagenets?

Quoi qu'il arrive, il est certain que Londres saura s'adapter lentement; c'est cette lenteur qui l'a toujours sauvé; on n'est télescopé par les événements que lorsqu'on court à leur rencontre.

Londres (pp. 331–2) by Paul Morand
(Librairie Plon, Ed. 8 Rue Garancière, Paris 6), 1933.

A Hotel in Mexico City

A chaque étage de l'hôtel, tous les appartements donnent sur une large galerie intérieure fermée par une balustrade baroque de bois peint: de place en place, rondes et élancées comme le tronc des palmiers royaux, des colonnes blanches soutiennent les galeries. En se penchant, on peut apercevoir un jardin intérieur, un patio, où cactées, rocailles et fleurs couleur de sang s'ordonnent autoir d'un jet d'eau inaltérable et bavard.

Entre deux colonnes, la balustrade se gonfle en arc de cercle pour ménager une sorte de loggia où l'on peut prendre place pour écrire, lire, rêver, dans la position d'un spectateur de théâtre au premier rang du balcon.

C'est là que je suis venue m'asseoir pour boire un dernier bourbon avant de gagner mon lit. J'avais à peine touché à mon repas. Il faisait tiède, presque chaud, et l'air trop rare des hauteurs m'oppressait . . . L'avant-dernier empereur du Mexique s'appelait 'l'Archer du ciel'.

En levant la tête, j'apercevais la nuit noire. Les

étoiles n'étaient pas levées encore, ou la pluie, peut-être, menaçait. J'éprouvais l'impression d'être tombée au fond d'un gouffre; il m'arriva de haleter.

Plusieurs femmes et quelques hommes s'étaient installés comme moi sur la galerie, en face de leurs appartements. Des femmes brunes aux cheveux huilés, le teint trop blanc, la bouche rouge une blessure fraîche. Les yeux des hommes brillaient comme ceux des loups. Nous nous regardions, impassibles. Et c'était un spectacle qui me transportait dans le monde des rêves que celui de ces têtes, immobiles au-dessus des balustrades et comme accrochées au décor, à toutes les hauteurs.

La Gringa from *Vincennes-Neuilly* (pp. 201–2) by Marc Blancpain, (Éditions Denoël, 14 Rue Amélie, Paris 7), 1963.

An Ill-fated Game

Contre l'attente générale, M. Alphonse manqua la première balle; il est vrai qu'elle vint rasant la terre et lancée avec une force surprenante par un Aragonais qui paraissait être le chef des Espagnols.

C'était un homme d'une quarantaine d'années, sec et nerveux, haut de six pieds, et sa peau olivâtre avait une teinte presque aussi foncée que le bronze de la Vénus.

M. Alphonse jeta sa raquette à terre avec fureur.

'C'est cette maudite bague,' s'écria-t-il, 'qui me serre le doigt, et me fait manquer une balle sûre!'

Il ôta, non sans peine, sa bague de diamants: je m'approchais pour la recevoir; mais il me prévint, courut à la Vénus, lui passa la bague au doigt annulaire, et reprit son poste à la tête des Illois.

Il était pâle, mais calme, et résolu. Dès lors, il ne

fit plus une seule faute, et les Espagnols furent battus complètement. Ce fut un beau spectacle que l'enthousiasme des spectateurs. Les uns poussaient mille cris de joie en jetant leurs bonnets en l'air; d'autres lui serraient les mains, l'appelant l'honneur du pays. S'il eût repoussé une invasion, je doute qu'il eût reçu des félicitations plus vives et plus sincères. Le chagrin des vaincus ajoutait encore à l'éclat de sa victoire.

'Nous ferons d'autres parties, mon brave,' dit-il à l'Aragonais, d'un ton de supériorité; 'mais je vous rendrai des points.'

J'aurais désiré que M. Alphonse fût plus modeste, et je fus presque peiné de l'humiliation de son rival.

Le géant espagnol ressentit profondément cette insulte. Je le vis pâlir sous sa peau basanée. Il regardait d'un air morne sa raquette en serrant les dents; puis, d'une voix étouffée, il dit tout bas: '*Me lo pagarás.*' ('Tu me le paieras.')

La Vénus d'Ille by Prosper Mérimée (1803–1870).

5 Inversion of Subject and Verb

Obviously there is no need to dwell on inversion required in asking questions—*où est-il, qu'avez-vous etc.*, or on cases of inversion in words of asking, saying, etc., following spoken words—e.g.: *'asseyez-vous,' me dit-il* or *'qu-est-ce que vous faites?' m'a-t-elle demandé.*

Another common instance of inversion of subject and verb is when these are preceded by one of certain adverbs or adverbial phrases.

A peine, 'hardly, scarcely' involves inversion both in French and English: *à peine était-elle partie,* 'scarcely had she left'. With other such adverbs, however, inversion takes place in French and not in translation.

Peut-être était-ce en lui et par lui que le miracle attendu allait se produire, 'Perhaps it was in him and through him that the (long) awaited miracle would be brought about' (Zola *Le Rêve*).

Sans doute aime-t-il son fils (Malraux *La Condition humaine*).

Ainsi étaient-elles chacune la caricature de l'autre (Louise de Vilmorin *Histoire d'aimer*).

Toujours est-il (certain) que, 'the fact remains that'.

There is, however, no inversion with *'peut-être que'*.

Peut-être qu'il arrivera demain, 'perhaps he will arrive tommorow'.

Sometimes inversion takes place for the sake of emphasis or elegance of style. The same device occurs in English. 'Were he to give up now', 'As pants the heart for cooling streams', etc. So, in French, *'Voulait-il de l'argent, il n'avait qu' à le demander,* 'if he wanted (did he want money), he had only to ask for it'. *Un soir arriva un télégramme.* These and similar examples present little difficulty to the translator.

More likely to cause him trouble at first is the very frequent inversion of subject and verb in a relative clause, particularly when the relative is *que* which may be wrongly taken to mean 'than' or, owing to the word order, regarded as the subject, not the object, of the clause. Inversion after *c'est ce que* is also very common. Here follow a few examples:

Ce rayon de mai qui fait monter toutes fleurs et toutes verdures de cette terre frémissante, fleurs et verdures d'un jour que brûlent les soleils de juin. . . . 'flowers and foliage of but a day which the June sunbeams wither up' (E. Zola, *Contes à Ninon*).

C'est ce que vient de faire une fois de plus le Général, 'that is what the General has just done once more.'

C'est une douleur permanente et lancinante par quoi se paient déjà les fautes si elles ne se rachètent pas, 'it is a lasting and shooting pain by which already faults are paid for unless they are redeemed' (Henry Bordeaux, *Les Trois Confesseurs*).

C'était une île que dominait un pic (A. Maurois, *Voyage au pays des Articoles*).

Vient ensuite la rédaction de l'acte de mariage que devront signer les témoins, 'then follows the drawing up of the marriage certificate which several witnesses will have to sign.' (R. Ledésert, *La France*).

En 1789, année où débuta la Révolution, la France possédait déjà presque tout son territoire actuel, 'in 1789, the year in which the Revolution began, France was already in possession of almost all its present territory.

Cause for Alarm

Le 22 janvier 1793, vers huit heures du soir, une vieille
dame descendait à Paris, l'éminence rapide qui finit
devant l'église Saint-Laurent, dans le faubourg Saint-
Martin. Il avait tant neigé pendant toute la journée,
que les pas s'entendaient à peine. Les rues étaient
désertes. La crainte assez naturelle qu'inspirait le
silence s'augmentait de toute la terreur qui faisait
alors gémir la France; aussi la vieille dame n'avait-elle
encore rencontré personne; sa vue affaiblie depuis
longtemps ne lui permettait pas d'ailleurs d'apercevoir
dans le lointain, à la lueur des lanternes, quelques
personnes clairsemées comme des ombres dans
l'immense voie de ce faubourg. Elle allait courageuse-
ment seule à travers cette solitude, comme si son âge
était un talisman qui dût la préserver de tout malheur.
Quand elle eut dépassé la rue des Morts, elle crut
distinguer le pas lourd et ferme d'un homme qui
marchait près d'elle. Elle s'imagina qu'elle n'entendait
pas ce bruit pour la première fois; elle s'effraya d'avoir
été suivie et tenta d'aller plus vite encore afin d'attendre à une boutique assez bien éclairée, espérant
pouvoir vérifier à la lumière les soupçons dont elle était
saisie. Aussitôt qu'elle se trouva dans le rayon de lueur
horizontale qui partait de cette boutique, elle retourna
brusquement la tête, et entrevit une forme humaine
dans le brouillard; cette indistincte vision lui suffit,
elle chancela un moment sous le poids de la terreur
dont elle fut accablée, car elle ne douta plus alors
qu'elle n'eût été escortée par l'inconnu depuis le
premier pas qu'elle avait fait hors de chez elle, et le
désir d'échapper à un espion lui prêta des forces.

Incapable de raisonner, elle doubla le pas, comme
si elle pouvait se soustraire à un homme nécessairement
plus agile qu'elle.

Un Épisode sous la Terreur by Honoré de Balzac (1799–1850).

Heat

Il y avait, certes, des jours qu'on traversait casqué de chaleur, mouillé de sueur et les yeux mangés de cernes. Il y avait, certes, l'enlisement des heures que, derrière la rumeur assourdie des voix, dans l'ombre des bureaux envahie par la réverbération du jour, ne ponctuaient que le choc léger des verres de thé, celui de la corde d'un store sur la vitre voisine, l'agonie vrombissante d'un insecte quelque part, ou que n'accompagnait à peine perceptible, comme une voie d'eau pas encore révélée, que le bruit d'un filet de vent poussant jusque sous vos pieds le sable de la dune.

Mais il y avait, aussi, le désert et la mer. Le désert, surtout. Les jours qu'il ne travaillait pas Luigi par-

venait parfois à louer une voiture. Il s'éloignait de la
ville et, tournant le dos à la côte, il roulait à travers le
désert, s'égarant souvent sur le chemin du retour, et
ne rentrait qu'à la nuit, le visage couvert d'une
poussière brune.

Il aimait ce pays au sol dur et nu, cette espèce de
poterie solaire fendillée, hérissée de maigres plantes
épineuses, d'herbes presque blanches. Parfois il rencontrait des nomades, et il s'arrêtait pour parler avec
eux. Les femmes et les enfants restaient à distance ou
se réfugiaient dans les huttes minuscules faites de
branchages soutenant des nattes.

La Barre de Corail (pp. 23–4) by Pierre Gascard
(N. R. F. Gallimard, 5 Rue Sébastien-Bottin, Paris 6), 1958.

An Author Replies to his Critics

Tant que j'ai écrit *Thérèse Raquin*, j'ai oublié le monde,
je me suis perdu dans la copie exacte et minutieuse de
la vie, me donnant tout entier à l'analyse du mécanisime
humain, et je vous assure que les amours cruelles de
Thérèse et de Laurent n'avaient pour moi rien d'im-
moral, rien qui puisse pousser aux passions mauvaises.
. . . Aussi ma surprise a-t-elle été grande quand j'ai
entendu traiter mon œuvre de flaque de boue et de
sang, d'égout, d'immondice, que sais-je ? . . .

Il était facile, cependant, de comprendre *Thérèse
Raquin*, de se placer sur le terrain de l'observation et
de l'analyse, de me montrer mes fautes véritables sans
aller ramasser une poignée de boue et de me la jeter
à la face au nom de la morale. . . . Ce que je sais, c'est
que je n'ai pas songé un instant à y mettre les saletés
qu'y découvrent les gens moraux, c'est que j'en ai
écrit chaque scène, même les plus fiévreuses, avec la
seule curiosité du savant, c'est que je défie mes juges

d'y trouver une page réellement licencieuse, faite pour les lecteurs de ces petits livres roses, de ces indiscrétions de boudoir et de coulisses, qui se tirent à dix mille exemplaires et que recommandent chaudement les journaux auxquels les vérités de *Thérèse Raquin* ont donné la nausée.

Thérèse Raquin (Préface) by Émile Zola (1840–1902).

Paternal Affection

Après sept ans de bonheur sans nuages, Goriot malheureusement pour lui, perdit sa femme: elle commençait à prendre de l'empire sur lui, en dehors de la sphère des sentiments. Peut-être eût-elle cultivé cette nature inerte, peut-être y eût-elle jeté l'intelligence des choses du monde et de la vie. Dans cette situation, le sentiment de la paternité se développa chez Goriot jusqu'à la déraison. Il reporta ses affections trompées par la mort sur deux filles qui, d'abord, satisfirent pleinement tous ses sentiments. Quelque brillantes que fussent les propositions qui lui furent faites par des négociants ou des fermiers jaloux de lui donner leurs filles, il voulut rester veuf. Son beau-père, le seul homme pour lequel il avait eu du penchant prétendait savoir pertinemment que Goriot avait juré de ne pas faire d'infidélité à sa femme, quoique morte. Les gens de la Halle, incapables de comprendre cette sublime folie, en plaisantèrent et donnèrent à Goriot quelque grotesque sobriquet. Le premier d'entre eux qui, en buvant le vin d'un marché, s'avisa de le prononcer, reçut du vermicellier un coup de poing sur l'épaule qui l'envoya, la tête la première, sur une borne de la rue Oblin. Le dévouement irréfléchi, l'amour ombrageux et délicat que portait Goriot à ses filles était si connu, qu'un jour un de ses

concurrents, voulant le faire partir du marché pour
rester maître du cours, lui dit que Delphine venait
d'être renversée par un cabriolet. Le vermicellier,
pâle et blême, quitta aussitôt la Halle. Il fut malade
pendant plusieurs jours par suite de la réaction des
sentiments contraires auxquels le livra cette fausse
alarme. S'il n'appliqua pas sa tape meurtrière sur
l'épaule de cet homme, il le chassa de la Halle en le
forçant, dans une circonstance critique, à faire faillite.

Le Père Goriot by Honoré de Balzac (1799–1850).

The End of the Epidemic

Au milieu des cris qui redoublèrent de force et de
durée, qui se répercutaient longuement jusqu'au pied
de la terrasse, à mesure que les gerbes multicolores
s'élevaient plus nombreuses dans le ciel, le docteur
Rieux décida alors de rédiger le récit qui s'achève ici,

pour ne pas être de ceux qui se taisent, pour témoigner en faveur de ces pestiférés, pour laisser du moins un souvenir de l'injustice et de la violence qui leur avaient été faites, et pour dire simplement ce qu'on apprend au milieu des fléaux, qu'il y a dans les hommes plus de choses à admirer que de choses à mépriser.

Mais il savait cependant que cette chronique ne pouvait pas être celle de la victoire définitive. Elle ne pouvait être que le témoignage de ce qu'il avait fallu accomplir et que, sans doute, devraient accomplir encore, contre la terreur, et son arme inlassable, malgré leurs déchirements personnels, tous les hommes qui, ne pouvant être des saints et refusant d'admettre les fléaux, s'efforcent cependant d'être des médecins.

Écoutant, en effet, les cris d'allégresse qui montaient de la ville, Rieux se souvenait que cette allégresse était toujours menacée car il savait ce que cette foule en joie ignorait, et qu'on peut lire dans les livres, que le bacille de la peste ne meurt ni ne disparaît jamais, qu'il peut rester pendant des dizaines d'années endormi dans les meubles et le linge, qu'il attend patiemment dans les chambres, les caves, les malles, les mouchoirs et les paperasses, et que, peut-être, le jour viendra où, pour le malheur et l'enseignement des hommes, la peste réveillerait ses rats et les enverrait mourir dans une cité heureuse.

Le Peste (closing paragraphs) by Albert Camus (1913–60),
(Gallimard 5 Rue Sébastien-Bottin, Paris, 6), 1947.

Jealousy?

Il se demanda: 'Qu'ai-je donc ce soir?' Et il se mit à chercher dans son souvenir quelle contrariété avait pu l'atteindre, comme on interroge un malade pour trouver la cause de sa fièvre.

Il avait l'esprit excitable et réfléchi en même temps, il s'emballait puis raisonnait, approuvait ou blâmait ses élans; mais chez lui la nature première demeurait en dernier lieu la plus forte, et l'homme sensitif dominait toujours l'homme intelligent.

Donc il cherchait d'où lui venait cet énervement, ce besoin de mouvement sans avoir envie de rien, ce désir de rencontrer quelqu'un pour n'être pas du même avis, et aussi ce dégoût pour les gens qu'il pourrait voir et pour les choses qu'ils pourraient lui dire.

Et il se posa cette question: 'Serait-ce l'héritage de Jean?'

Oui, c'était possible, après tout. Quand le notaire avait annoncé cette nouvelle, il avait senti son cœur battre un peu plus fort. Certes, on n'est pas toujours maître de soi, et on subit des émotions spontanées et persistantes, contre lesquelles on lutte en vain.

Il se mit à réfléchir profondément à ce problème physiologique de l'impression produite par un fait sur l'être instinctif et créant en lui un courant d'idées et de sensations douloureuses ou joyeuses, contraires à celles que désire, qu'appelle, que juge bonnes et saintes l'être pensant, devenu supérieur à lui-même par la culture de son intelligence.

Il cherchait à concevoir l'état d'âme du fils qui hérite d'une grosse fortune, qui va goûter, grace à elle, beaucoup de joies désirées depuis longtemps et interdites par l'avarice d'un père, aimé pourtant et regretté.

Il se leva et se remit à marcher vers le bout de la jetée. Il se sentait mieux, content d'avoir compris, de s'être surpris lui-même, d'avoir dévoilé l'autre qui est en nous.

'Donc j'ai été jaloux de Jean,' pensait-il. 'C'est vraiment assez bas, cela.'

Pierre et Jean by Guy de Maupassant (1850–93).

6 Past Tenses

It is not easy for an English person learning French to know which past tense to use when translating an English passage into French. One reason for this is that in English one past tense can be used with a variety of meanings.

Consider the following:—
(1) Uncertain of his bearings he took the turning to his left, but soon found himself back at the railway station.
(2) He invariably took the turning to the left, maintaining that it was the shorter route.
(3) He had decided that he would try to go to sleep as soon as the plane took off.
(4) After the plane took off he went to sleep.
(5) 'He took the corner too fast. That's why the car ran off the road.'
(6) From the top of the hill I could see the path which took a slight turn towards the river.

No doubt, this list could be extended, but it suffices to show that 'took' can be used in a number of different ways. One result of this is that, being accustomed to this spacious use of one tense of a verb, we do not examine the exact meaning at all closely and find ourselves at a loss when translating the English past tense into French. For instance we can say 'He promised to write to us as soon as he was back.' A Frenchman, however, would take the view that at the time the promise was made, the man's return, far from being in the past as 'was' seems to imply, or even in the present, had not taken place yet, and would accordingly put: '*il promit de nous écrire dès qu'il serait de retour.*'

The fact that the same past tense can in English

bear any one of several shades of meaning may on occasion make the task of translating passages from French into English easier than the reverse process. Even so it may be as well to set down here at least some of the ways in which the Imperfect, Past Historic, and Past Indefinite (Perfect) tenses are used in French.

The Imperfect

(a) In descriptions of scenery, etc.
       Des trombes marines (water spouts) *se dressaient là accumulées et en apparence immobiles comme les piliers noirs d'un temple. Elles supportaient, renflées* (swelling out) *à leurs extrémités, la voûte sombre et basse de la tempête* . . . *(Terre des Hommes* by A. de St Exupéry).

(b) In descriptions of the physical appearance, clothing, expression, etc., of people.
       Elle avait un jupon rouge fort court qui laissait voir des bas de soie blancs avec plus d'un trou, et des souliers mignons de maroquin rouge attachés avec des rubans couleur de feu. Elle écartait sa mantille afin de montrer ses épaules. (Carmen by Prosper Mérimée).

(c) In description or narration of customary action.
       Aussi longtemps qu'Hortense avait habité auprès d'elle, son souper avalé . . . *la Cèze* (old Cèze) *mettait un châle sur sa tête, prenait une chaussette qu'elle était en train de tricoter et allait la rejoindre (La Cèze* by Michel Boutron).

(d) To denote what was going on when something else happened or was happening.
       e.g. *Il lisait pendant que je travaillais,* 'he was reading while I was working'.

Il était presque deux heures quand il partit, 'it was nearly two o'clock when he left'.

Ils dormaient certes depuis longtemps déjà quand un coup de feu retentit (*Les Prisonniers* by G. de Maupassant).

(e) Leading on from the last example, to denote what happened and was still going on, following *il y a . . . que, depuis . . . que, voici or voilà . . . que.*

e.g. *je le connaissais depuis assez longtemps sans l'avoir remarqué,* 'I had known him for quite a long time without having taken much notice of him'. And

je n'observais pas cette femme depuis dix minutes et, deux fois, je l'avais surprise posant sur sa belle-fille ce même regard de cruauté dont je l'avais vue jadis envelopper la mère de cette enfant (*Odile* by Paul Bourget). . . . 'I had been watching this woman for not more than ten minutes and, twice . . .' But

Elle avait vieilli depuis que je ne l'avais vue, 'she had aged since I had last seen her (the process of seeing was no longer going on, so the Pluperfect not the Imperfect is needed).

The Past Historic

This is the tense used in written rather than spoken French to mark a past event or series of past events, usually in the form of narrative. Often in the same sentence or paragraph will be other verbs in the Imperfect denoting what was going on or what the situation was when the event or action took place. Here is an example from *Mademoiselle Perle* by Maupassant:

En nous voyant approcher, le chien s'assit sur son derrière. Il n'avait pas l'air méchant. Il semblait plûtot content d'avoir réussi à attirer des gens. Mon père alla

droit à lui et le caressa. Le chien lui lêcha les mains : et on
reconnut qu'il était attaché à la roue d'une petite voiture.

The Past Indefinite (Imperfect)

This is used where in English we use 'have' + a past
participle *je ne l'ai jamais vu*, 'I have never seen him.'

In addition, this tense is extensively used in familiar
style, whether spoken or written, to denote a past
event or series of events, to mark the progress of a
narrative. Often therefore, it is used where in a book
the Past Historic might be employed. In fact the
Perfect tends to oust the Past Historic and sometimes
one may encounter the two almost side by side, as in
the following example:—

Les désordres ont commencé lorsque la police a tenté
d'arrêter une bande d'une centaine de jeunes Noirs qui
brisaient les vitrines des magasins et se livraient au
pillage. Les manifestants jetèrent alors des cocktails
Molotov, provoquant des incendies (Le Figaro 26 July
1967).

Here is a short passage in which only the Perfect is
used:—

J'ai beaucoup aimé le Sahara. J'ai passé des nuits en
dissidence (i.e. areas disturbed by Arab risings against
the French). *Je me suis réveillé dans cette étendue*
blonde où le vent a marqué sa houle comme sur la mer.
J'y ai attendu des secours en dormant sous mon aile, mais
ce n'était point comparable. (Terre des Hommes by A. de
St Exupéry).

The Present Tense used as a Past Tense

In French what is known as the Historic Present is
frequently used. This is the Present Indicative but
used to describe something that took place in the past.

This usage is not unknown in England, but it is perhaps more common in French. The purpose is to lend vividness and a sense of actuality to narrative. It is easy enough to pick it out in French, but sometimes a writer will without warning slip back into the Past Historic.

Here is a brief example, again from a story by Maupassant:—

'*Viens donc. . . . Tu verras la jolie promenade que nous ferons. Moi, je me laissai prendre comme un bête et je partis un matin par le train de huit heures. J'arrive dans une espèce de ville, une ville de campagne, où on ne voit rien, et je finis par trouver au bout d'un couloir, entre deux murs, une vieille porte de bois, avec une sonnette de fer. Je sonnai. (Le Père Mongilet).*

In the middle of this passage two verbs *arrive*, and, presumably, *finis* are in the Present Tense, but preceded and followed by verbs in the Past Historic, *partis* and *sonnai*. Probably in English all should be translated by the same past tense 'left', 'arrived', 'ended', 'rang'.

In this connection it is worth noting that *c'est . . . que* will often be followed by a verb in a past tense, in which case it may better be translated as 'it was' than as 'it is'.

C'est là que je l'ai rencontré pour la première fois, 'it was there that I met him for the first time'.

The following passages for translation have been chosen because each contains some, and collectively, they contain all, of the different usages severally illustrated in the foregoing examples.

A Social Success

Sorti du collège, Henri demeura sage et cacha ses vingt ans. Sa vie de garçon ne fit pas de bruit. On ne le

rencontra ni où l'on joue, ni où l'on boit, ni où l'on se
compromet, mais dans des salons graves, attentif et
empressé auprès des femmes déjà mûres. Ce qui
l'aurait desservi ailleurs le servit là. Sa froideur fut
agréée comme un charme; son sérieux eut presque
l'effet d'une séduction. Il est des modes pour les
grâces de l'homme. Le règne de Louis-Philippe, avec
ses grandes fortunes d'universitaires, venait d'habituer
les grands salons politiques et littéraires de Paris à
priser dans un homme de salon ce je ne sais quoi de
sa robe que trâine dans le monde un professeur, même
lorsqu'il est devenu ministre. Au goût des qualités
d'esprit vives, gaies, étourdies, avait succédé chez les
femmes de la haute bourgeoisie le goût de la parole
qui sent le cours, de la science qui sort de la chaire,
d'une sorte d'amabilité doctorale. Le pédant n'effrayait
pas, même vieux; jeune, il devait plaire, et le bruit
courut qu'Henri Mauperin plaisait beaucoup.

C'était un esprit pratique. Il professait le culte de
l'utile, des vérités mathématiques, des religions posi-
tives et des sciences exactes. Il avait de la compassion
pour l'art, et soutenait qu'on n'avait jamais mieux fait
que maintenant les meubles de Boule. L'économie
politique, cette science qui mène à tout, lui étant
apparue en entrant dans le monde comme une vocation
et comme une carrière, il s'était fait résolument
économiste. Il avait appliqué à cette étude sèche une
intelligence étroite, mais patiente, appliquée, et tous
les quinze jours il lançait dans de grandes Revues
quelque gros article, bourré de chiffres, que les
femmes passaient et les hommes disaient avoir lu.

Renée Mauperin (1875) by Edmond (1882–1896)
and Jules (1830–70) de Goncourt.

A Night in the Mountains

Enfin la nuit est finie; les sommets se colorent, la lumière renaît et va refaire le chemin parcouru hier soir dans le sens contraire, le jour est là, virginal. Encore un mot nouveau qui n'est pas de moi, qui vient sous ma plume comme imposé par une volonté qui n'est pas la mienne, j'ignore où j'ai dormi et si j'ai rêvé, mais je suis las de cette nuit.

Maintenant je sais pourquoi je suis venu, je sais aujourd'hui que Marie-Evelyne me cherche, qu'elle me harcèle depuis deux ans. Oui, deux ans que je ne suis plus mon maître, que lentement s'établit en moi un sentiment nouveau, terrible et lourd comme une pierre tombale, celui de ma responsabilité.

Je me suis étendu hier soir sur la couchette large où dorment en été quatre ou cinq montagnards, qui doivent le lendemain partir pour quelque sommet. Je me suis trouvé perdu dans la nuit. Malgré les couvertures serrées autour de moi, je sentais le froid pénétrant qui me gagnait. Dehors, les bruits s'étaient levés comme une armée, le vent donnait des coups au refuge comme pour l'arracher de sa plateforme taillée dans le roc. La porte, en bas, a claqué plusieurs fois; j'étais pourtant convaincu de l'avoir bien fermée, mais pensez, avec un vent pareil! J'ai tenté vainement de me calmer, de me forcer à la confiance; je sentais mon cœur battre d'une manière inaccoutumée; c'est peut-être l'altitude, ai-je pensé.

Soudain, j'ai senti une masse s'allonger auprès de moi, j'ai tiré les couvertures rugueuses sur ma figure, j'ai eu peur tout d'un coup, peur comme pendant cette fièvre typhoïde de mon enfance. Le corps a rampé sur le lit, rampé vers moi. Ai-je crié, c'est possible car une voix m'a dit:

—Ne crains rien, c'est moi, Marie-Evelyne, c'est

moi qui t'ai appelé, c'est moi qui t'espère depuis tant
de jours.'

L'Argent Vif (pp. 161–3) by Michel Boutron,
(Éditions André Bonne, 15 Rue Las-Cases, Paris), 1954.

Impending Quarrel

Enfin, comme Albert, pour la centième fois, interro-
geait sa montre, au commencement du deuxième acte,
la porte de la loge s'ouvrit, et Monte-Cristo, vêtu de
noir, entra et s'appuya à la rampe pour regarder dans
la salle; Morrel le suivait, cherchant des yeux sa sœur
et son beau-frère. Il les aperçut dans une loge du second
rang, et leur fit signe.

Le comte, en jetant son coup d'œil circulaire dans
la salle, aperçut une tête pâle et des yeux étincelants
qui semblaient attirer avidement ses regards; il
reconnut bien Albert, mais l'expression qu'il remarqua
sur ce visage bouleversé lui conseilla sans doute de
ne point l'avoir remarqué. Sans faire donc aucun
mouvement qui décelât sa pensée, il s'assit, tira sa
jumelle de son étui, et lorgna d'un autre côté.

Mais, sans paraître voir Albert, le comte ne le
perdait pas de vue, et, lorsque la toile tomba sur la fin
du second acte, son coup d'œil infaillible et sûr suivit
le jeune homme sortant de l'orchestre et accompagné
de ses deux amis.

Puis, la même tête reparut aux carreaux d'une
première loge, en face de la sienne. Le comte sentait
venir à lui la tempête, et lorsqu'il entendit la clef
tourner dans la serrure de sa loge, quoiqu'il parlât en
ce moment même à Morrel avec son visage le plus
riant, le comte savait à quoi s'en tenir, et il s'était
préparé à tout.

La porte s'ouvrit.

Seulement alors Monte-Cristo se retourna et aperçut Albert livide et tremblant; derrière lui étaient
Beauchamp et Château-Renaud.

Le Comte de Monte-Cristo by Alexandre Dumas (1803–70).

The Priest and the Statue

'C'est un chef d'œuvre de l'école pisane, et, pour moi,
une statue de Nicolas de Pise lui-même, quand il
travaillait à la chaire de Sienne. Vous voyez les grands
traits sévères de la Vierge, et comme elle est triste de
ce qu'elle pressent, comme elle respecte aussi le
Sauveur dans l'enfant? On l'avait enlevé d'ici, monsieur, le croiriez-vous? et vendue! Elle avait fini par
échouer au musée du Bargello, à Florence. Heureusement, celui qui l'avait volée était malgré ce vol, un
bon chrétien. A son lit de mort, vingt ans après la
disparition de la statue, il a chargé son fils de venir me
dire son crime et à qui il avait cédé la Madone. C'était
avant moi, vous-savez, ce larcin. Mon pauvre prédé-
cesseur—Dieu ait son âme—ne se souciait pas beaucoup des objets d'art. . . . Enfin! Je débarque chez le
brocanteur de Lucques qui avait acheté la Madone
au paysan. . . . Il commence par nier. Il ne se rappelait
plus, après tant d'années. Il finit par faire l'insolent.
Nous étions seuls dans la boutique. Je le prends par
le bras et je le soulève de terre en lui montrant la
fenêtre: 'Si tu ne me dis pas la vérité, tu es mort' . . .
Ah! j'étais robuste, alors'. Et il riait gaiement de ses
trente-deux dents, conservées malgré l'âge. 'Je ne lui
aurais rien fait, bien sûr, et c'était une menace pour
l'épouvanter. C'est permis, un mensonge comme
celui-là, pour le service de Dieu, n'est-il pas vrai? Le
brigand a peur et il avoue. La Madone était au Bargello.

. . . Au Bargello! Comment la ravoir jamais? Je prends
le train pour Florence, où je savais trouver la princesse
Marguérite, qui est notre reine à présent. On m'avait
dit qu'elle aimait les arts. Je vais droit à son palais.
Je demande à lui parler. On me renvoie. Après toutes
sortes de difficultés, je finis par être introduit. Je lui
raconte mon histoire, comme je viens de vous la
raconter. Elle rit et huit jours plus tard, la Madone
était revenue. Cette fois, elle tient aux pierres, et les
voleurs ne me la descelleront pas, je vous jure. C'est
moi qui ai mis le ciment, de mes mains.'

                    La Pia in *Voyageuses* by Paul Bourget (1852–1935),
            (Arthème Fayard, Ed., 18 Rue St. Gothard, Paris 14).

In Search of Peace and Quiet

Un matin radieux éclairait la ville. Mariolle monta
dans la voiture qui l'attendait devant sa porte, avec un
sac de voyage et deux malles dans la galerie. Il avait
fait préparer, la nuit même, par son valet de chambre,
le linge et les objets nécessaires pour une longue
absence, et il s'en allait en donnant pour adresse
provisoire: 'Fontainebleau, poste restante'. Il n'em-
menait personne, ne voulant pas voir une figure qui
lui rappelât Paris, ne voulant plus entendre une voix
entendue déjà pendant qu'il songeait à certaines choses.

Il cria au cocher: 'Gare de Lyon!' Le fiacre se mit
en marche. Alors il pensa à cet autre départ pour le
Mont Saint-Michel, au printemps passé. Il y aurait
un an dans trois mois. Puis, pour oublier cela, il
regarda la rue.

La voiture déboucha dans l'avenue des Champs
Élysées, que baignait une ondée de soleil printanier.
Les feuilles vertes, désemprisonnées déjà par les

premières chaleurs des autres semaines, à peine
arrêtées par les deux derniers jours de grêle et de froid,
semblaient épandre tant elles s'ouvraient vite, par
cette matinée lumineuse, une odeur de verdure fraîche
et de sève évaporée dans la délivrance des branches
futures. . . .

Il pensait, secoué par les cahots du fiacre: 'Enfin,
je vais goûter un peu de calme. Je vais regarder naître
le printemps dans la forêt encore déserte.'

Le trajet lui parut long. Il était courbaturé après ces
quelques heures d'insomnie à pleurer sur lui, comme
s'il eût passé dix nuits près d'un mourant. En arrivant
dans la ville de Fontainebleau, il se rendit chez un
notaire pour savoir s'il n'y avait point quelque chalet
à louer meublé aux bords de la forêt. On lui en indiqua
plusieurs. Celui dont la photographie le séduisit le
plus venait d'être quitté par deux jeunes gens, homme
et femme, qui étaient restés presque tout l'hiver dans
le village de Montigny-sur-Loing. Le notaire, homme
grave pourtant, souriait. Il devait flairer là une histoire
d'amour. Il demanda: 'Vous êtes seul, Monsieur?'

'Je suis seul'.

'Même sans domestiques?'

'Même sans domestiques. J'ai laissé les miens à
Paris. Je veux prendre des gens du pays. Je viens ici
pour travailler dans un isolement absolu.'

Notre Cœur by G. de Maupassant (1850–1893).

Evidence for the Prosecution

Le visage était livide, les dents serrées, les pupilles
dilatées extraordinairement, et le corps, courbé en arc
de cercle, reposait sur la nuque et sur les talons. Bref,
c'étaient les signes classiques de l'empoisonnement

par la strychnine. Un verre, placé sur la table de nuit,
contenait les dernières gouttes d'une potion que Mlle.
de Jussat-Randon avait dû prendre la veille au soir
ou pendant la nuit, comme c'était son habitude, pour
combattre l'insomnie. Elle souffrait depuis un an à
peu près d'une maladie nerveuse. Le docteur analysa
ces gouttes, et il y trouva des traces de noix vomique.
C'est comme vous savez, une des formes sous lesquelles
le terrible poison se débite dans la médecine actuelle.
Une petite bouteille sans étiquette contenant quelques
gouttes de couleur sombre, fut ramassée presque
aussitôt par un jardinier, sous les fenêtres de la chambre.
On avait dû la jeter pour qu'elle se brisât, mais elle
était tombée sur de la terre meuble, dans une plate-
bande fraîchement remuée. Ces gouttes brunâtres
étaient aussi des gouttes de noix vomique. Plus de
doute: Mlle. de Jussat était morte empoisonnée.
L'autopsie acheva de le démontrer. Était-on en
présence d'un suicide ou d'un meurtre?... Un suicide?
Mais quel motif cette jeune fille, sur le point de se
marier à un homme charmant et qu'elle avait agréé,
pouvait-elle avoir eu de se tuer? Et de quelle manière,
sans un mot d'explication, sans une lettre d'adieu à
ses parents! . . . D'autre part, comment s'était-elle
procuré le poison? Précisément cette recherche mit la
justice sur la trace de l'accusation qui nous occupe
aujourd'hui. Interrogé, le pharmacien du village
déposa que, six semaines auparavant, le précepteur du
château lui avait demandé de la noix vomique pour
soigner une maladie d'estomac.

                        Le Disciple by Paul Bourget (1852–1935),
(Librairie Plon, Ed., 8 Rue Garancière, Paris 6), 1889.

Embarrassment

. . . Un Lieutenant, nommé Robert, eut un billet de
logement pour le palais de la marquise del Dongo. Cet
officier, jeune réquisitionnaire assez leste, possédait
pour tout bien, en entrant dans ce palais, un écu de six
francs qu'il venait de recevoir à Plaisance. Après le
passage du pont de Lodi, il prit à un bel officier
autrichien, tué par un boulet, un magnifique pantalon
de nankin tout neuf, et jamais vêtement ne vint plus
à propos. Ses épaulettes d'officier étaient en laine,
et le drap de son habit était cousu à la doublure des
manches pour que les morceaux tinssent ensemble;
mais il y avait une circonstance plus triste: les semelles
de ses souliers étaient en morceaux de chapeau
également pris sur le champ de bataille, au delà du
pont de Lodi. Ces semelles improvisées tenaient au
dessus des souliers par des ficelles fort visibles, de
façon que lorsque le majordome de la maison se
présenta dans la chambre du lieutenant Robert pour
l'inviter à dîner avec madame la marquise, celui-ci fut
plongé dans un mortel embarras. Son voltigeur et lui
passèrent les deux heures qui les séparaient de ce fatal
dîner à tâcher de recoudre un peu l'habit et à teindre
en noir, avec de l'encre les malheureuses ficelles des
souliers. Enfin le moment terrible arriva. 'De la vie
je ne fus plus mal à mon aise,' me disait le lieutenant
Robert; 'ces dames pensaient que j'allais leur faire
peur, et moi j'étais plus tremblant qu'elles. Je regardais
mes souliers et ne savais comment marcher avec grâce.
La marquise del Dongo,' ajouta-t-il, était alors dans
tout l'éclat de sa beauté: vous l'avez connue avec
ses yeux si beaux et d'une douceur angélique, et ses
jolis cheveux d'un blond foncé qui dessinaient si bien
l'ovale de cette figure charmante.'

    La Chartreuse de Parme by Stendhal (Henri Beyle) 1783–1842.

A Shady Character

Australien et homme de théâtre, Johnson avait joué
pendant plusieurs années sur les scènes de Sydney
et de Melbourne et atteint à une certaine notoriété.
Il aimait mettre entre les mains des gens qui s'arrê-
taient chez lui un cahier où il avait collé avec soin les
coupures jaunies de journaux qui faisaient foi de ses
anciens succès. Mais il avait dû quitter précipitamment
l'Australie, à la suite d'une affaire de chantage et
d'abus de confiance qui n'avait jamais été clairement
éclaircie. Refugié aux Nouvelles-Hébrides, il avait
acquis une petite plantation à Tanna. Le tonnage de
coprah qu'il produisait suffisait à peine à nourrir un
homme. Sa maison tombait en ruine. Il ne paraissait
pas s'en apercevoir. A l'intérieur des livres de Shake-
speare et de T. S. Eliot, des revues de théâtre anglaises
traînaient çà et là, un peu trop ostensiblement. Aux
murs pendaient des reproductions de peintures ab-
straites, arrachées aux pages en couleur de magazines
d'art américaines. Sous sa véranda, il avait construit
un mobil, en fil de fer et boîtes de conserve vides, qui
tournoyait furieusement quand l'alizé soufflait. En un
certain sens, Waren se sentait plus proche de Johnson
que de tout autre homme dans l'archipel. Mais en
un autre sens, il le détestait plus qu'aucun autre homme
de l'archipel. Johnson tirait son revenu principal
d'une petite boutique installée dans un hangar, tout
près de son habitation. Du moins il le prétendait. 'La
civilisation' disait-il, en la montrant aux visiteurs, d'un
geste large.

Le Souffle de l'Alizé (p. 90) by Maurice Guy,
(Les Éditions Mondiales, 2 Rue des Italiens, Paris 9, 1957).

The Prussians at Rambouillet

Le prince Blücher a la main plus heureuse : il n'occupe pas le château depuis quatre jours que, déjà, il fait déclouer la grande carte du domaine tapissant le fond d'un des salons du comte de Toulouse Le maire, averti, se rend au château, expose au général Grolman, chef d'état-major, que cette carte appartient à la Couronne, qu'elle est un chef d'œuvre, a reçu des perfectionnements de la main de Louis XVI et que, d'ailleurs, elle n'a d'intérêt que pour les possesseurs de Rambouillet. L'autre riposte d'un ton arrogant 'qu'il est parfaitement inutile d'insister ; la carte partira pour la Prusse et il ne sera tenu aucun compte des démarches faites par la duchesse d'Angoulême pour sauver cet ouvrage auquel a travaillé son père.' La carte fut roulée et envoyée outre-Rhin où elle alla décorer l'un des châteaux particuliers de Blücher. Par bonheur le troupeau des mérinos avait été évacué, car il n'est pas douteux qu'il eût été transformé, par les gentils-hommes de Sa Majesté prussienne, en gigots et en côtelettes.

Le 9 août, le premier maître d'hôtel du prince Blücher vint, comme chaque jour, discuter avec le maire de la ville les menus qu'il devait servir à son maître. Il se plaignit que le poisson manquait : l'étang de la Ferme était épuisé et il commandait qu'on levât les vannes des canaux du parc pour en prendre facilement les plus belles carpes. Le maire eut une inspiration : 'Comment !' fit-il ; 'pêcher dans les canaux pendant la canicule et sous les fenêtres de Son Excellence ! je m'en garderais bien. Une telle imprudence corromprait l'air, et le prince pourrait en être incommodé.'

Le Château de Rambouillet (pp. 171–2) by G. Lenotre, (Calmann-Lévy Ed., 3 Rue Auber, Paris 9), 1930.

A Favourite Falls

Son carrosse l'emmena bientôt et elle pleura tout le
long du chemin. Lauzun la vit le lendemain matin au
Luxembourg, et ce n'est que le mercredi 25 novembre
qu'il regagna le château de Saint-Germain. Lauzun y
arrive à sept heures du soir, et, selon sa coutume,
s'enferme dans sa chambre, sans lumières, pour rêver.
Rochefort, capitaine des gardes en quartier, son
camarade et son ami, envoie aussitôt chez lui le

chevalier de Forbin, major des gardes. A la porte de
l'appartement le page de Lauzun dit à Forbin que
son maître n'y est pas. Le major insiste et le page
avoue. Forbin s'éloigne. Bientôt paraît Rochefort,
accompagné d'officiers et de gardes. Il frappe à la
porte de Lauzun. Pas de réponse. Il frappe à grands
coups redoublés. Lauzun ouvre à son ami. 'Tu viens
m'arrêter.' 'Cela me déplaît jusqu'au fond de l'âme,
mais il faut obéir. Remettez-moi votre épée et suivez-
moi.' Lauzun jette son épée à terre, mais il ne veut
point remettre la clef de son cabinet' assurant qu'il
n'y a rien dedans qui importe au service du roi.' On
enfonce la porte sous ses yeux; il commande alors à
son valet d'apporter les clefs de ses cassettes; les
papiers sont aussitôt pris et scellés.

Le voici qui traverse la cour du château pour gagner
la chambre de Rochefort où il va passer la nuit; et
les courtisans reconnaissent avec stupeur dans ce
gentilhomme sans épée, entouré de gardes, le favori
dont toute la France enviait la Fortune.

★   ★   ★

Tandis que Lauzun dans la chambre de Rochefort,
demandait vainement à parler à son maître et que
Mademoiselle demeurait comme foudroyée au Luxembourg, les cassettes du prisonnier étaient portées à
Louis XIV qui avait la discrétion de ne pas les ouvrir
devant Mme. de Montespan. Le Roi lut lui-même ou
se fit lire par Louvois les neuf cents lettres de femmes
qui remplissaient les cassettes.

La Grande Mademoiselle (p. 87) by the Duc de La Force.
(Collection 'Hier et Aujourd'hui', Flammarion et Cie,
26 Rue Racine, Paris 6), 1927.

A Pastoral Visit

Je reconnus pourtant à deux kilometrès de là, sur la gauche, un petit lac mystérieux où jeune homme j'avais été quelquefois patiner. Depuis quinze ans je ne l'avais plus revu, car aucun devoir pastoral ne m'appelle de ce côte; je n'aurais plus su dire où il était et j'avais à ce point cessé d'y penser qu'il me sembla, lorsque tout à coup dans l'enchantement rare et doré du soir, je le reconnus, ne l'avoir d'abord vu qu'en rêve.

La route suivait le cours d'eau qui s'en échappait, coupant l'extrémité de la forêt, puis longeant une tourbière. Certainement je n'étais jamais venu là.

Le soleil se couchait et nous marchions depuis longtemps dans l'ombre, lorsque enfin ma jeune guide m'indiqua du doigt à flanc de coteau une chaumière qu'on eût pu croire inhabitée, sans un mince filet de fumée qui s'en échappait, bleuissant dans l'ombre, puis blondissant dans l'or du ciel. J'attachai le cheval à un pommier voisin, puis rejoignis l'enfant dans la pièce obscure où la vieille venait de mourir.

La gravité du paysage, le silence et la solennité de l'heure m'avaient transi. Une femme encore jeune était à genoux près du lit. L'enfant que j'avais prise pour la petite-fille de la défunte, mais qui n'était que sa servante, alluma une chandelle fumeuse, puis se tint immobile au pied du lit. Durant la longue route j'avais essayé d'engager la conversation, mais n'avais pu tirer d'elle quatre paroles.

La Symphonie Pastorale (pp. 1–2) by André Gide (1869–1951), (N.R.F., Gallimard, Ed., 5 Rue Sébastien-Bottin, Paris 7), 1918.

7 Translating Reflexive Verbs

The fact that a verb is used reflexively does not necessarily make it difficult to translate into English. It may be as well, nevertheless, to remind ourselves of one or two points.

Firstly, the insertion of a reflexive pronoun may alter the original meaning of a verb. For instance, *battre* 'to beat', *se battre* 'to fight': *attendre* 'to wait', (for), *s'attendre* 'to expect': *douter* 'to doubt', *se douter*, 'to suspect': *passer* 'to spend', *se passer* 'to happen', *se passer de,* 'to do without'.

Secondly, while in many cases the reflexive pronoun must be translated by its English equivalent, this is not invariably so. For example, *il se tua,* 'he killed himself' or *il s'est fait du mal,* 'he hurt himself', but *il s'écria,* 'he exclaimed,' *il s'arrêta,* 'he stopped'.

Thirdly, a reflexive construction in French sometimes requires the use of the passive in English. For example, *ces livres se vendent chez Dubois,* 'these books are sold by (are on sale at) Dubois' or *les pas s'entendaient à peine,* 'the steps could scarcely be heard (were barely audible)'.

Fourthly, a reflexive verb may be used impersonally: *de quoi s'agit-il?* 'what is it all about?' *Il s'ensuit,* 'it follows' or 'the result is' *il se produisit quelquechose d'extraordinaire,* 'something extraordinary happened'.

A Persistent Suitor

Trois jours se passèrent, sans qu'Angélique se montrât, effrayée de l'audace croissante de Félicien. Elle se jurait de ne plus le revoir, elle s'excitait à le détester.

Mais il lui avait donné de sa fièvre, elle ne pouvait
rester en place, tous les prétextes lui étaient bons à
lâcher la chasuble qu'elle brodait. Aussi, ayant appris
que la mère Gabet gardait le lit, dans le plus profond
dénuement, alla-t-elle la visiter chaque matin. C'était
rue des Orfèvres même, à trois portes. Elle arrivait avec
du bouillon, du sucre, elle redescendait acheter des
médicaments, chez le pharmacien de la Grand' Rue.
Et, un jour qu'elle remontait, portant des paquets et
des fioles, elle eut le saisissement de trouver Félicien
au chevet de la vieille femme malade. Il devint très
rouge, il s'esquiva gauchement. Le jour suivant, comme
elle partait, il se présenta de nouveau, elle lui laissa la
place, mécontente. Voulait-il donc l'empêcher de
voir ses pauvres? Justement, elle était prise d'une
de ces crises de charité qui lui faisaient se donner
toute, pour combler ceux qui n'avaient rien. Son être
se fondait de fraternité pitoyable, à l'idée de la
souffrance. Elle courait chez le père Mascart, un
aveugle paralytique de la rue Basse, à qui elle faisait
manger elle-même l'assiette de soupe qu'elle lui
apportait; chez les Chouteau, l'homme et la femme,
deux vieux de quatre-vingt-dix ans, qui occupaient
une cave de la rue Magloire, où elle avait emménagé
d'anciens meubles, pris dans le grenier des Hubert;
chez d'autres, d'autres encore, chez tous les misérables
du quartier, qu'elle entretenait en cachette des choses
traînant autour d'elle, heureuse de les surprendre et
de les voir rayonner pour quelque reste de la veille.
Et voilà que, chez tous, désormais, elle rencontrait
Félicien!

Le Rêve by Émile Zola (1840–1902).

The Fall of the Monarchy—1848

La résistance ne dura pas; partout la garde nationale s'interposait;—si bien qu'à huit heures le peuple, de bon gré ou de force, possédait cinq casernes, presque toutes les mairies, les points stratégiques les plus sûrs. D'elle-même, sans secousses, la monarchie se fondait dans une dissolution rapide, et on attaquait maintenant le poste du Château-d'Eau pour délivrer cinquante prisonniers, qui n'y étaient pas.

Frédéric s'arrêta forcément à l'entrée de la place. Des groupes en armes l'emplissaient. Des compagnies de la ligne occupaient les rues Saint-Thomas et Fromanteau. Une barricade énorme bouchait la rue de Valois. La fumée qui se balançait à sa crête s'entr' ouvrit, des hommes couraient dessous en faisant de grands gestes, ils disparurent; puis la fusillade recommença. Le poste y répondait, sans qu'on vît personne à l'intérieur; ses fenêtres, défendues par des volets de chêne, étaient percées de meurtrières; et le monument avec ses deux étages, ses deux ailes, sa fontaine au premier et sa petite porte au milieu, commençait à se moucheter de taches blances sous le heurt des balles. Son perron de trois marches restait vide.

A côté de Frédéric, un homme en bonnet grec et portant une giberne par-dessus sa veste de tricot se disputait avec une femme coiffée d'un madras.

Elle lui disait:—

'Mais reviens donc! reviens donc!'

'Laisse-moi tranquille!' répondait le mari. 'Tu peux bien surveiller la loge toute-seule. Citoyen, je vous le demande, est-ce juste? J'ai fait mon devoir partout en 1830, en 32, en 34, en 39! Aujourd'hui, on se bat! il faut que je me batte! Va t'en!'

L'Éducation Sentimentale by Gustave Flaubert (1821–80).

The Country Doctor

Cette lettre, cachetée d'un petit cachet de cire bleue,
suppliait M. Bovary de se rendre immédiatement à la
ferme des Bertaux pour remettre une jambe cassée.
Or, il y a, de Tostes aux Bertaux, six bonnes lieues
de traverse, en passant par Longueville et Saint-
Victor. La nuit était noire. Mme. Bovary jeune
redoutait les accidents pour son mari. Donc, il fut
décidé que le valet d'écurie, prendrait les devants.
Charles partirait trois heures plus tard, au lever de la
lune. On enverrait un gamin à sa rencontre afin de lui
montrer le chemin de la ferme et d'ouvrir les clôtures
devant lui.

Vers quatre heures du matin, Charles, bien enve-
loppé dans son manteau, se mit en route pour les
Bertaux. Encore endormi par la chaleur du sommeil,
il se laissait bercer au trot pacifique de sa bête. Quand
elle s'arrêtait d'elle-même devant ces trous entourés
d'épine que l'on creuse au bord des sillons, Charles,
se réveillant en sursaut, se rappelait vite la jambe
cassée, et il tâchait de se remettre en mémoire toutes
les fractures qu'il savait. La pluie ne tombait plus;
le jour commençait à venir, et, sur les branches des
pommiers sans feuilles, des oiseaux se tenaient immobiles, hérissant leurs petites plumes au vent froid
du matin. La plate campagne s'étalait à perte de vue
et les bouquets d'arbres autour des fermes faisaient,
à intervalles éloignés des taches d'un violet noir sur
cette grande surface grise qui se perdait à l'horizon
dans le ton morne du ciel. Charles, de temps à autre,
ouvrait les yeux, puis, son esprit se fatiguant et le
sommeil revenant de soi-même, bientôt il entrait dans
une sorte d'assoupissement où, ses sensations récentes
se confondant avec des souvenirs, lui-même se perce-
vait double, à la fois, étudiant et marié, couché dans son

lit comme tout à l'heure, traversant une salle d'opérés comme autrefois. L'odeur chaude des cataplasmes se mêlait dans sa tête à la verte odeur de la rosée; il entendait rouler sur leur tringle les anneaux de fer des lits et sa femme dormir . . .

Comme il passait par Vassonville il aperçut au bord d'un fossé, un jeune garçon assis sur l'herbe.

'Êtes-vous le médecin?' demanda l'enfant.

Madame Bovary by Gustave Flaubert (1821–80).

Suspicion

Je ne sais s'il me vit venir, mais il s'éloigna et entra dans une loge. Je résolus d'attendre qu'il en sortît, et demeurai un quart d'heure à me promener, regardant toujours la porte de la loge. Elle s'ouvrit enfin, il sortit; je le saluai aussitôt de loin en m'avançant à sa rencontre. Il fit quelques pas d'un air résolu; puis, tournant tout à coup, il descendit l'escalier et disparut.

Mon intention de l'aborder avait été trop évidente pour qu'il pût m'échapper ainsi sans un dessein formel de m'éviter. Il devait connaître mon visage, et d'ailleurs même, sans qu'il le connût, un homme qui en voit un autre venir à lui doit au moins l'attendre. Nous étions seuls dans le corridor quand je m'étais avancé vers lui, ainsi il était hors de doute qu'il n'avait pas voulu me parler. Je ne songeai pas à y voir une impertinence: un homme qui venait tous les jours dans un appartement où je demeurais, à qui j'avais toujours fait bon accueil quand je m'étais rencontré avec lui, dont les manières étaient simples et modestes, comment penser qu'il voulût m'insulter? Il n'avait voulu que me fuir et se dispenser d'un entretien fâcheux. Pourquoi encore? Ce second mys-

tère me troubla presque autant que le premier. Quoi
que je fisse pour écarter cette idée, la disparition de ce
jeune homme se liait invinciblement dans ma tête avec
le silence obstiné de Brigitte.

L'incertitude est de tous les tourments le plus
difficile à supporter, et dans plusieurs circonstances
de ma vie je me suis exposé à de grands malheurs, faute
de pouvoir attendre patiemment. Lorsque je rentrai
à la maison, je trouvai Brigitte lisant précisément ces
fatales lettres de N. . . . Je lui dis qu'il m'était impossible
de rester plus longtemps dans la situation d'esprit où
je me trouvais, et qu'à tout prix j'en voulais sortir ;
que je voulais savoir, quel qu'il fût, le motif du
changement subit qui s'était opéré en elle, et que, si
elle refusait de répondre, je regarderais son silence
comme un refus positif de partir avec moi, et même
comme un ordre de m'éloigner d'elle pour toujours.

La Confession d'un Enfant du Siècle by Alfred de Musset (1810–57).

Reminiscences

Nous étions sûrs de trouver chez les dames Laroque
Mademoiselle Julie qui croyait aux esprits, et dont je
cultivais l'amitié, bien qu'elle fût sèche et rêche. Mais
elle contait des histoires de revenants, des prophéties
terribles et certaines, des prodiges. Et, dès l'âge de
cinq ans, j'avais besoin d'être affermi dans ma croyance
aux diableries.

Hélas ! je trouvais chez les dames Laroque un
serpent sous l'herbe. C'était mademoiselle Alphonsine
Dusuel qui jadis me piquait les mollets en m'appelant
'trésor'. Je me plaignais bien encore à ma mère des
cruautés horribles d'Alphonsine ; mais elle me faisait
plus de peur que de mal et, pour dire toute la vérité,

elle ne me faisait ni mal ni peur. Elle ne s'apercevait même pas de ma présence. Alphonsine devenait une grande demoiselle ; ses perfidies, moins naïves, avaient désormais d'autres objets qu'un petit garçon comme moi. Je voyais bien qu'elle se plaisait maintenant à les exercer sur un neveu de mademoiselle Thérèse, Fulgence Rauline, qui jouait du violon et se préparait à entrer au Conservatoire, et, bien que je ne fusse point d'un naturel jaloux, bien qu'Alphonsine fût laide et tachée de son, j'eusse préféré qu'elle m'enfonçat encore des épingles dans les mollets. Non, je n'étais point jaloux, et, si je l'eusse été, ce n'eût point été d'un préféré d'Alphonsine. Mais, égoïste, avide de soins et d'amour, je voulais que l'univers entier s'occupât de moi, fût-ce pour me tourmenter ; et, à l'âge de cinq ans, je n'avais pas encore dépouillé le vieil homme.

Le Petit Pierre (Chap. 19) by Anatole France (1844–1924), (Calmann-Lévy, Ed., 3 Rue Auber, Paris 9), 1919.

Frustration

Souvent j'ai cette idée que, si j'étais parti une heure plus tôt, ou si j'avais doublé le pas, je serais arrivé à temps ; que, pendant que je passais par cette rue, ce que je cherche passait par l'autre, et qu'il a suffi d'un embarras de voitures pour me faire manquer ce que je poursuis à tout hasard depuis si longtemps. Tu ne peux t'imaginer les grandes tristesses et les profonds désespoirs où je tombe quand je vois que tout cela n'aboutit à rien, et que ma jeunesse se passe et qu'aucune perspective ne s'ouvre devant moi ; alors toutes mes passions inoccupées grondent sourdement dans mon cœur, et se dévorent entre elles faute d'autres

aliments, comme les bêtes d'une ménagerie auxquelles
le gardien a oublié de donner leur nouriture. Malgré
les désappointements étouffés et souterrains de tous
les jours, il y a quelque chose en moi qui résiste et ne
veut pas mourir. Je n'ai pas d'espérance, car, pour
espérer il faut un désir, une certaine propension à
souhaiter que les choses tournent d'une manière
plutôt que d'une autre. Je ne désire rien, car je désire
tout. Je n'espère pas, ou plutôt je n'espère plus;—cela
est trop niais—et il m'est profondément égal qu'une
chose soit ou ne soit pas. J'attends—quoi? Je ne sais,
mais j'attends.

C'est une attente frémissante, pleine d'impatience,
coupée de soubresauts et de mouvements nerveux
comme doit l'être celle d'un amant qui attend sa
maîtresse—Rien ne vient;—j'entre en furie ou me mets
à pleurer. J'attends que le ciel s'ouvre et qu'il en
descende un ange qui me fasse une révélation, qu'une
révolution éclate et qu'on me donne un trône, qu'une
vierge de Raphaël se détache de sa toile et me vienne
embrasser, que des parents que je n'ai pas meurent
et me laissent de quoi faire voguer ma fantaisie sur
un fleuve d'or, qu'un hippogriffe me prenne et
m'emporte dans des régions inconnues. Mais quoi que
j'attende, ce n'est à coup sûr rien d'ordinaire et de
médiocre.

Mademoiselle de Maupin by Théophile Gautier (1811–72).

The Anniversary Present

L'auto s'arrêta devant la maison. Un homme tout
habillé de blanc en descendit et se mit à klaxonner,
comme pour appeler quelqu'un. Mon père fut aussitôt
près de lui et lui manifesta les plus grands signes
d'amitié. . . .

Le personnage était si grand qu'il dut se baisser en passant la porte de notre cuisine. Il portait un étrange habit blanc, d'une seule pièce de la tête aux pieds et dont le devant était partagé par une longue fermeture éclair. Mon père suivait, la mine épanouie. . . .

Monsieur Raoul amène notre automobile. Ma mère semblait ne pas comprendre. 'J'ai pensé pour l'anniversaire de nos dix ans de mariage. . . . Voilà, j'ai acheté l'auto'.

Ma mère devint pâle, puis toute rouge, et finalement éclata en sanglots. Mon père me fit sortir car les enfants ne doivent jamais voir pleurer leurs parents.

Quand je revins sur la pointe des pieds, ils ne s'en

aperçurent même pas, tant ils étaient absorbés par
ce que leur disait Monsieur Raoul. Mon père lui
servit un petit verre d'eau-de-vie de mirabelle et
demanda: 'Avec une voiture comme celle-là, pensez-
vous que je puisse aller dans la même journée jusqu'à
. . . Paris, par exemple?'

'Paris! Mais Monsieur, pensez donc que c'est une
voiture de chez nous qui a gagné le rallye de Monte
Carlo de l'an dernier, plus de mille kilomètres dans
une seule journée!'

'Monte-Carle! Vous parlez sans doute de Monte
Carlo sur la Côte d'Azur?'

'Oui, bien sûr, et sans compresseur, sans machin
spécial, tout simplement avec une bonne voiture de
série, comme la vôtre!'

Mes parents étaient étonnés de se sentir si près de
pays qui leur paraissaient presque irréels quand ils en
voyaient les photographies sur les livres de géographie
du cours du certificat d'études.

La Communale (pp. 31–32) by Jean l'Hôte,
(Ed. du Seuil, 27 Rue Jacob, Paris 6), 1957.

8 The Subjunctive

For an Englishman learning French the subjunctive presents many difficulties, largely because in English the subjunctive, except in such expressions as 'if I were you' is seldom used. In this book we are not so much concerned with learning how the subjunctive is used in French as with discovering how best to translate French subjunctives into English. To do this, however, necessarily involves being familiar with at least some of the circumstances in which a subjunctive is likely to be required in French, while recognising at the same time that we may not in English be able easily to bring out distinctions of meaning which the use of the subjunctive permits in French.

Consider, for example, this sentence taken from the *Histoire Comique* of Anatole France.

Est-ce que vous connaissez quelqu'un qui connaisse le ministre?

'Do you know anyone who knows the minister?'
Compare this with: *Est-ce que vous connaissez le Colonel X, qui connaît très bien le ministre?*

In the first *connaisse* is used because the questioner is referring to no specific person, but is enquiring whether the individual to whom he is speaking has within his circle of acquaintance any friend of the minister. In the second, on the other hand, he is asking whether his interlocutor is acquainted with a particular person, mentioned by name who is known to be a friend of a certain member of the Government. There is no suggestion of doubt or uncertainty, and therefore *connaît* is used.

In this case the distinction in English can be brought out by putting, firstly '. . . anybody who may know the

minister', and in the second '. . . Colonel X who is an
intimate friend of the minister.'

Another common use of the subjunctive is after
que in sentences such as *Qu'il entre,* 'let him come in.'
From the same novel (*Histoire Comique*) we have:
*Elle irait le voir de temps en temps. Mais qu'il renonçât à
la poursuivre et à l'effrayer,*—'but let him cease to
pursue and terrify her.'

Probably the most frequent use of the subjunctive
is in clauses introduced by *que* and forming, in most
cases, the object of a verb expressing an emotion such
as joy, doubt, grief or fear or of a verb of ordering,
forbidding, desiring, wishing, preferring, or following
impersonal verbs indicating necessity, possibility,
desire, etc.

With verbs of thinking, knowing, hoping, likewise,
the subjunctive may be required, but only when by
negation or interrogation, some uncertainty or doubt
is implied.

There remains the use of the subjunctive after
certain conjunctions, *avant que, quoique, de crainte que*
etc., and in relative clauses when the antecedent is
qualified by a superlative, unless there is no element of
doubt at all, and, finally, in clauses introduced by
phrases such as *quoi que,* 'whatever'.

It would be easy, but tedious, to prolong this list.
Here we need do no more than give one or two examples
to remind ourselves of the kind of sentences the translator may expect to encounter.

It is also necessary to consider whether a close
approximation to the sense of the French phrase is
best obtained by introducing or omitting in the English
version words such as 'may', 'might', 'would'.

Il est très possible qu'elle ait été jadis gaie, souriante.
Are we to put here 'may have been' or 'was'? It is true
that 'was' gives the impression of a definite statement,

but after all the idea of uncertainty is sufficiently contained in *'très possible'*. We should do best, therefore, to write simply: 'It is quite possible that she was once cheerful and smiling.'

On the other hand in *'Et dans son regret de n'avoir pu réaliser son rêve, n'est-il pas logique qu'elle ait redemandé à l'étude les consolations nécessaires? (Ces Dames aux Chapeaux Verts*, by Germaine Acremant), it would probably be best to put 'And in her disappointment at not having been able to realise her dream, was it not logical that she should have (for her to have) turned again to study in search of the consolation she needed?'

In short, while noting the use of the subjunctive in French and its implications, we must not be so influenced by its presence as to strain after phrases which sound false or unnatural. We must consider each case on its merits. It is also necessary to remember that with *craindre* there is likely to be a *ne* in the subjunctive clause, which is not to be translated.

Je crains qu'il ne soit en retard, 'I am afraid he will be late'.

But *Je crains qu'il ne vienne pas,* 'I fear he is not coming.' When the expression of fearing is negative or interrogative the *ne* is likely to be omitted.

Here are some further examples of subjunctives in French, some easy to translate, some less straightforward.

(1) *Il suffit qu'il soit là pour qu'elle soit heureuse.*
(2) *Il semble qu'il soit sans ambition.*
   (But *il me semble que vous êtes sans ambition:* here doubt is absent: it is a statement of opinion, even though this opinion may not be correct.)
(3) *Il était rare qu'elle rentrât prendre le thé au Château.*
(4) *A moins que le temps ne l'en empêchât elle n'aurait*

      jamais manqué de faire un dernier tour dans le parc.

(5) *Elle allait s'assurer que les grilles fussent bien fermées* (Nos. 3, 4 and 5 from *Mlle. de Murville* by R. Peyrefitte).

(6) *Les souvenirs de ces adieux, les premiers qu'il m'ait fallu faire à des objets aimés (Dominique* by E. Fromentin.)

(7) *Tous attendaient qu'il se produisît quelque chose.*

(8) *Ce recteur . . . était un grand beau vieux, alerte et sec, n'ayant rien qui sentît le pédant, ni quoi que ce fût de semblable.* (A. Daudet).

(9) *Elle exigea qu'il lui expliquât tout son travail (Le Rêve* by É. Zola).

(10) *Je n'aurais jamais cru qu'on pût trouver sur la terre des gens qui eussent le singulier don de vivre sans manger (Contes à Ninon* by É. Zola).

(11) *Vous êtes le seul homme au monde en qui j'aie confiance (Maigret et le client du samedi* by G. Simenon).

An Unwelcome Disclosure

'Tu sais comme mes parents sont fiers,—un peu ridicules, je le reconnais. Je peux bien te l'avouer: pour que notre bonheur ait été possible, il a fallu que ce mariage manqué leur ait porté à la tête. Tu n'ignores pas l'importance qu'on attache, dans notre monde, à ce qui touche la santé, dès qu'il s'agit de mariage. Maman s'imaginait que toute la ville connaissait mon aventure. Personne ne voudrait plus m'épouser. Elle avait cette idée fixe que je resterais fille. Quelle vie elle m'a fait mener pendant plusieurs mois! Comme si je n'avais pas eu assez de mon chagrin. . . . Elle avait fini par nous persuader, papa et moi, que je n'étais pas 'mariable'.

Je retenais toute parole qui t'eût mise en défiance.
Tu me répétais que tout cela avait été providentiel
pour notre amour.

'Je t'ai aimé tout de suite, dès que je t'ai vu. Nous
avions beaucoup prié à Lourdes avant d'aller à Luchon.
J'ai compris, en te voyant, que nous étions exaucées.'

Tu ne pressentais pas l'irritation qu'éveillaient en
moi de telles paroles. Vos adversaires se font en secret
de la religion une idée beaucoup plus haute que vous
ne l'imaginez et qu'ils ne le croient eux-mêmes. Sans
cela, pourquoi seraient-ils blessés de ce que vous la
pratiquez bassement? A moins qu'il paraisse tout
simple à vos yeux de demander même les biens tem-
porels à ce Dieu que vous appelez Père? . . . Mais
qu'importe tout cela? Il ressortait de tes propos que
ta famille et toi vous étiez jetés avidement sur le
premier limaçon rencontré.

A quel point notre mariage était disproportionné, je
n'en avais jamais eu conscience jusqu'à cette minute.
Il avait fallu que ta mère fût frappée de folie et qu'elle
l'eût communiquée à ton père et à toi.

Le Nœud de Vipères (pp. 67–8) by François Mauriac,
(Bernard Grasset, Ed., 61 Rue des Saints-Pères, Paris 6), 1932.

Portrait of an Upstart

Mme. Lechat, au même degré que M. Lechat, manquait d'élégance, d'orthographe et de grâces mondaines, mais sous la robe de soie et le chapeau à la
mode gauchement portés, elle était restée la paysanne
simple, honnête, de bon sens, d'autrefois, et M.
Lechat dans sa transformation subite de tanneur en
gentilhomme terrien souffrait beaucoup, quoiqu'il
affichât des opinions républicaines très avancées, de
l'infériorité sociale de sa femme, et il s'irritait de ce

qu'elle marquât trop la naissance peuple et le passé
de roture.

On ne possède pas, dans un pays, quatre cent
cinquante mille francs de rentes en terre, sans qu'une
grande notoriété ne s'ensuive. Lechat était donc le
personnage le plus connu de la contrée, étant le plus
riche et il ne se passait pas de minutes qu'à dix lieues
à la ronde, partout, on ne parlât de lui. On disait:
'Riche comme Lechat.' Ce nom de Lechat servait de
terme de comparaison forcé, d'étalon obligatoire, pour
désigner des fortunes hyperboliques. Lechat détrônait
Crésus et remplaçait le marquis de Carabas. Pourtant
on ne l'aimait point, et bien que les campagnards
s'empressassent de le saluer obséquieusement, tous
se moquaient de lui, le dos tourné, car il était grossier,
taquin, fantasque, vantard et très fier sous des dehors
familiers et des allures de bon enfant qui ne trompaient
personne. Il avait une manière de faire le bien, tapa-
geuse et maladroite, qui déroutait les reconnaissances,
et ses charités, inhabiles à masquer l'effroyable
égoïsme du parvenu, au lieu de couler dans l'âme des
pauvres gens un apaisement, leur apportaient la haine,
tant elles étaient de continuelles insultes à leurs
misères. Du reste, trois fois il s'était présenté aux
élections et, trois fois, malgré l'argent follement
gaspillé, il n'avait pu réunir que trois cents voix sur
vingt-cinq mille.

Agronomie from Contes de la Chaumière by Octave Mirbeau
(1850–1917).

The Rival

Madeleine, j'en étais certain, ne pouvait ressentir aucun
intérêt pour un étranger que le hasard avait jeté dans
sa vie comme un accident. Il était possible qu'elle

regrettât son passé de jeune fille, et qu'elle ne vît pas
approcher sans alarmes le moment d'adopter un parti
si grave. Mais il n'était pas douteux non plus, en
admettant qu'elle fût libre de toute affection sérieuse,
que le désir de son père, les considérations de rang, de
position, de fortune, ne la décidassent pour une union
où M. de Nièvres apportait, en outre de tant de
convenances, des qualités sérieuses et attachantes.

Je n'éprouvais contre l'homme qui me rendait si
malheureux, ni colère, ni jalousie. Déjà il représentait
l'empire de la raison avant de personnifier celui du
droit. Aussi le jour où, dans le salon de Mme. Ceyssac,
M. Orsel nous présenta l'un à l'autre en disant de moi
que j'étais le meilleur ami de sa fille, je me souviens
qu'en serrant la main de M. de Nièvres, loyalement,
je me dis: 'Eh bien! s'il en est aimé, qu'il l'aime!'

Dominique by E. Fromentin (1820–76).

A Recollection of Childhood

Ma seule consolation quand je montais me coucher,
était que maman viendrait m'embrasser quand je
serais dans mon lit. Mais ce bonsoir durait si peu de
temps, elle redescendait si vite, que le moment où je
l'entendais monter, puis où passait dans le couloir à
double porte le bruit léger de sa robe de jardin en
mousseline bleue, à laquelle pendaient de petits
cordons de paille tressée, était pour moi un moment
douloureux. Il annonçait celui qui allait le suivre, où
elle m'aurait quitté, où elle serait redescendue. De
sorte que ce bonsoir que j'aimais tant, j'en arrivais à
souhaiter qu'il vînt le plus tard possible, à ce que se
prolongeât le temps de répit où maman n'était pas
encore venue. Quelquefois quand, après m'avoir

embrassé, elle ouvrait ma porte pour partir, je voulais la rappeler, lui dire: 'embrasse-moi une fois encore,' mais je savais qu'aussitôt elle aurait son visage fâché, car la concession qu'elle faisait à ma tristesse et à mon agitation en montant m'embrasser en m'apportant ce baiser de paix, agaçait mon père qui trouvait ces rites absurdes, et elle eût voulu tâcher de m'en faire perdre le besoin, l'habitude, bien loin de me laisser prendre celle de lui demander, quand elle était déjà sur le pas de la porte, un baiser de plus.

Du Côté de Chez Swann (Vol. I, pp. 25–6) by Marcel Proust
(1871–1922),
(N.R.F., Gallimard Ed., 5 Rue Sébastien-Bottin, Paris 7).

A Mysterious Affair

Enfin nous avons attendu dans une auberge non loin de la grille du château la sortie de M. de Marquet, le juge d'instruction de Corbeil. A cinq heures et demie, nous l'avons aperçu avec son greffier. Avant qu'il ne montât en voiture, nous avons pu lui poser la question suivante:

'Pouvez-vous, monsieur de Marquet, nous donner quelque renseignement sur cette affaire, sans que cela gêne votre instruction?'

'Il nous est impossible,' nous répondit M. de Marquet,' de dire quoi que ce soit. Du reste, c'est bien l'affaire la plus étrange que je connaisse. Plus nous croyons savoir quelque chose, plus nous ne savons rien!'

Nous demandâmes à M. de Marquet de bien vouloir expliquer ces dernières paroles. Et voici ce qu'il nous dit, dont l'importance n'échappera à personne.

'Si rien ne vient s'ajouter aux constatations matér-

ielles faites aujourd'hui par le parquet, je crains bien
que le mystère qui entoure l'abominable attentat dont
Mlle. Stangerson a été victime ne soit pas près de
s'éclaircir, mais il faut espérer pour la raison humaine,
que les sondages des murs, du plafond et du plancher
de la 'Chambre Jaune', sondages auxquels je vais me
livrer dès demain avec l'entrepreneur qui a construit
le pavillon il y a quatre ans, nous apporteront la
preuve qu'il ne faut jamais désespérer de la logique
des choses. Car le problème est là: nous savons par

où l'assassin s'est introduit,—il est entré par la porte et s'est caché sous le lit en attendant Mlle. Stangerson: mais par où est-il sorti? Comment a-t-il pu s'enfuir? Si l'on ne trouve ni trappe, ni porte secrète, ni réduit, ni ouverture d'aucune sorte, si l'examen des murs et même leur démolition—car je suis décidé et M. Stangerson est décidé à aller jusqu'à la démolition du pavillon—ne viennent révéler aucun passage praticable, non seulement pour un être humain, mais encore pour un être quel qu'il soit, si le plancher n'a pas de trou, si le plafond ne cache pas de souterrain, il faudra bien croire au diable, comme dit le père Jacques.'

Le Mystère de la Chambre Jaune by Gaston Leroux.

A Lively Imagination

J'ai longtemps souhaité qu'il m'arrivât un malheur exceptionnel qui pût, à bon droit, me rendre 'intéressante', une de ces catastrophes éclatantes dont on ne sort qu'avec le cœur amaigri, les yeux cernés et la considération générale. J'enviais ceux dont on dit que le sort s'acharne sur eux, soit qu'ils perdent leur famille entière dans la même semaine ou même en quelques années, (ce qui n'est déjà pas si mal et beaucoup plus vraisemblable), soit qu'une maladie incurable les ait condamnés eux-mêmes à une mort douce mais inévitable à brève échéance.

M'aimant peu, je ne reculais devant aucun excès d'imagination susceptible de m'attendrir sur mon propre compte. Tour à tour, je me suis vue en orpheline désemparée, jetée dans le monde dès sa quinzième année, avec de grands yeux tristes et un tendre coude perpétuellement levé pour parer les coups du ciel: en femme égarée parce qu'on venait de tuer le seul

homme qu'elle ait jamais aimé (j'aurais découpé mon
chagrin sur un fond de mer, avec un petit visage durci
par l'adversité, les cheveux au vent du malheur,
toutes larmes bues, et le tout, de préférence à la
tombée d'un jour). . . .

Je n'avais pas l'imagination assez raffinée pour
supposer qu'on pût être malheureux, simplement
parce que quelqu'un est vivant et à la portée d'un
coup de téléphone.

La Fanfaronne (pp. 9–10) by Geneviève Dormann,
(Éditions du Seuil, 27 Rue Jacob, Paris 6), 1959.

A Peasant Couple

Il choisit une grosse fille, vigoureuse et dégourdie, et
franche ainsi qu'un cœur de chêne, et il vint s'installer
avec elle, au hameau de Freulemont, dans une petite
maison qu'il loua, jardin et verger compris, soixante-
dix francs par an. La maisonnette se composait de deux
pièces et d'un cellier : de beaux espaliers en garnissaient
la façade : le jardin donnait autant de légumes qu'il en
fallait et les pommes du verger, dans les bonnes
années, suffisaient à la provision de cidre. Que pouvait-
il rêver de mieux ? Il eut aussi deux enfants, un garçon
et une fille qu'il envoya, l'âge venu, à l'école, parce
qu'il comprenait que dans le temps présent, il était
indispensable de posséder de l'instruction.

Pendant qu'il travaillait d'un côté sa femme allait
en journée de l'autre, faire la lessive, coudre, frotter,
chez des particuliers, ou bien aider à la cuisine, aux
moments de presse, dans les auberges de la ville.
Elle acquit à cela une véritable célébrité de cuisinière.
Bientôt on ne parla plus d'une noce dans le pays,
qu'elle ne fût chargée d'en combiner et d'en exécuter

les plantureux repas. Fameuse aubaine, car, ces
jours-là, c'était une pièce de quatre francs, en plus
de la bonne nourriture et des rigolades que ses grosses
joues fermes et rieuses lui valaient de la part des jeunes
gens. Dugué était bien jaloux de ce que sa femme
s'amusât dans les noces, surtout de ce qu'elle se
régalât de poules à l'huile et de veau à l'oseille, alors
que lui se contentait de soupe aux pommes de terre et
de fromage, mais il ne disait rien à cause des quatre
francs.

La Mort du Père Dugué from *Contes de la Chaumière*
by Octave Mirbeau (1850–1917).

9 Some Difficult Turns of Phrase

When a verb is in the subjunctive in French, it is often because the presence of a conjunction such as *quoique* or *avant que* or of a verb of ordering, regretting or fearing, for example, requires this in the verb of the dependent clause. There are, however, many instances of the subjunctive being used in French, when there is no such conjunction or preceding verb to account for it. Often a subjunctive of this kind may be a substitute for a conditional. Here again we are not concerned with discovering under what circumstances a French author is liable to use a subjunctive in this way. We are concerned only with being on the look out for this usage and with knowing how best to translate such subjunctives into English, when we come across them.

Sometimes the pluperfect subjunctive will be used instead of an indicative or of a conditional in a conditional sentence.

'If he had been here, he would not have allowed it.'

The obvious version in French would be:

S'il avait été ici, il ne l'aurait pas permis.

But it might easily be rendered instead by: *s'il eût été ici, il ne l'eût* (or *l'aurait*) *pas permis.*

Sometimes the *si* is omitted and the condition expressed by inversion of subject and verb. *Eût-il été moins pressé,* 'if he had been (had he been) in less of a hurry'.

Sometimes this use of the subjunctive, and sometimes, indeed, the similar use of the conditional may be associated with the insertion of *que* referred to in a previous section, the *que* sometimes being untranslated, sometimes requiring a considerable recasting of the

sentence in translation. By way of illustration, here are
a few examples:

(a) *Eussé-je succombé à cette tentation, que ma carrière
    unversitaire se fût trouvée dangereusement com-
    promise. (La Machine à lire les pensées* by A.
    Maurois), 'Had I yielded to that temptation, my
    University career would have been (might have
    been) jeopardised.'

(b) *D'ailleurs, on le voudrait, qu'on ne trouverait pas
    le semblable. De nos jours on ne connaît plus ce
    travail-là (L'Hôtel de Mondez* by Maurice Druon),
    'Besides, even if you wanted to, you couldn't find
    the like of it. Nowadays that kind of work is no
    longer known.'

(c) *Y eût-il songé, qu'il aurait sans doute attribué son
    zèle à la gravité du cas (Madame Bovary* by G.
    Flaubert). 'Even had it crossed his mind he would
    certainly have put down his zeal to the gravity of
    the case?'

(d) *N'eût été de l'écriture et de l'orthographe on aurait
    pu croire que la lettre avait été rédigée par un homme
    très averti des questions politiques (Le Chemin des
    Écoliers* by Marcel Aymé). 'But for the writing
    and spelling the letter might have been ascribed
    to a man who was very well informed on political
    questions.'

(e) *Je veux bien croire que n'eût-il pas la foi en Dieu et
    l'espérance d'aller droit au ciel il aimerait quand
    même son prochain* (F. Coppée). 'I am quite
    prepared to believe that even if he did not have
    faith in God and the hope of going straight to
    Heaven, he would, nevertheless, love his neigh-
    bour?'

There is no hard and fast translation applicable to all such cases, but the above illustrations should serve to suggest possible renderings of passages in which this usage occurs.

A Strange Place

Au coin du bois débouchait, entre deux poteaux blancs, une allée où Meaulnes s'engagea. Il y fit quelques pas et s'arrêta, plein de surprise, troublé d'une émotion inexplicable. Il marchait pourtant du même pas fatigué, le vent glacé lui gerçait les lèvres, le suffoquait par instants, et pourtant un contentement extraordinaire le soulevait, une tranquillité parfaite et presque enivrante, la certitude que son but était atteint et qu'il n'y avait plus maintenant que du bonheur à espérer. C'est ainsi que, jadis, la veille des grandes fêtes d'été, il se sentait défaillir, lorsque à la tombée de la nuit on plantait des sapins dans les rues du bourg et que la fenêtre de sa chambre était obstruée par les branches.

'Tant de joie,' se dit-il, 'parce que j'arrive à ce vieux pigeonnier plein de hiboux et de courants d'air!'

Et, fâché contre lui-même, il s'arrêta, se demandant s'il ne valait pas mieux rebrousser chemin et continuer jusqu'au prochain village. Il réfléchissait depuis un instant, la tête basse, lorsqu'il s'aperçut soudain que l'allée était balayée à grands ronds réguliers comme on faisait chez lui pour les fêtes. Il se trouvait dans un chemin pareil à la grand'rue de La Ferté, la matin de l'Assomption! . . . Il eût aperçu au détour de l'allée une troupe de gens en fête soulevant la poussière, comme au mois de juin, qu'il n'eût pas été surpris davantage.

'Y aurait-il une fête dans cette solitude?' se demanda-t-il.

Avançant jusqu'au premier détour, il entendit un
bruit de voix qui s'approchaient. Il se jeta de côté
dans les jeunes sapins touffus, s'accroupit et écouta
en retenant son souffle. C'étaient des voix enfantines.
Une troupe d'enfants passa tout près de lui.

Le Grand Meaulnes (pp. 64–5) by Alain Fournier (1886–1914).

The Scene of the Crime

Maigret endossait son pardessus, cherchait son chapeau.

'Tu viens?'

Ils descendirent l'escalier l'un derrière l'autre.
Normalement, c'est aux Halles qu'ils seraient allés
manger une soupe à l'oignon. Devant les petites autos
noires rangées dans la cour, Maigret hésita.

'On vient de découvrir une jeune fille morte, Place
Vintimille' dit-il.

Puis, comme quelqu'un qui cherche un prétexte
pour ne pas aller se coucher: 'On va voir?' Janvier se
mit au volant d'une des voitures. Ils étaient tous les
deux trop abrutis par les heures d'interrogatoire qu'ils
venaient de mener pour parler.

L'idée ne vint pas à Maigret que le deuxième
Quartier était le secteur de Lognon, celui que ses
collègues surnommaient l'inspecteur Malgracieux. Y
aurait-il pensé, cela n'aurait pas fait de différence, car
Lognon n'était pas nécessairement en service de nuit
au poste de la Rue de la Rochefoucauld.

Les rues étaient désertes, mouillées, avec de fines
gouttes qui mettaient une auréole aux becs de gaz, et
de rares silhouettes qui rasaient les murs. Au coin de
la Rue Montmartre et des Grands Boulevards, un
café était encore ouvert et, plus loin, ils aperçurent

les enseignes lumineuses de deux ou trois boîtes de nuit, des taxis qui attendaient le long des trottoirs.

A deux pas de la Place Blanche, la Place Vintimille était comme un îlot paisible. Un car de la police stationnait. Près de la grille du Square minuscule, quatre ou cinq hommes se tenaient debout autour d'une forme claire étendue sur le sol.

Tout de suite Maigret reconnut la silhouette courte et maigre de Lognon. L'inspecteur Malgracieux s'était détaché du groupe pour voir qui arrivait et, de son côté, il reconnaissait Maigret et Janvier.

Maigret et la Jeune Morte (pp. 11–12) by Georges Simenon, (Presses de la Cité, 116 Rue du Bac, Paris 7), 1954.

The Road to Bankruptcy

La première vertu de Manon, non plus que la mienne,
n'était pas l'économie. Voici le plan que je me pro-
posai :

'Soixante mille francs,' lui dis-je, 'peuvent nous
soutenir pendant dix ans. Deux mille écus nous
suffiront chaque année, si nous continuons de vivre
à Chaillot. Nous y mènerons une vie honnête mais
simple. Notre unique dépense sera pour l'entretien
d'un carrosse, et pour les spectacles. Nous nous
réglerons. Vous aimez l'Opéra : nous y irons deux
fois la semaine. Pour le jeu, nous nous bornerons
tellement, que nos pertes ne passeront jamais deux
pistoles. Il est impossible que dans l'espace de dix
ans, il n'arrive point de changement dans ma famille ;
mon père est âgé, il peut mourir. Je me trouverai du
bien, et nous serons alors au-dessus de toutes nos
autres craintes.'

Cet arrangement n'eût pas été la plus folle action
de ma vie, si nous eussions été assez sages pour nous
y assujettir constamment. Mais nos résolutions ne
durèrent guère plus d'un mois. Manon était passionnée
pour le plaisir. Je l'étais pour elle. Il nous naissait, à
tous moments, de nouvelles occasions de dépense : et
loin de regretter les sommes, qu'elle employait
quelquefois avec profusion, je fus le premier à lui
procurer tout ce que je croyais propre à lui plaire.
Notre demeure de Chaillot commença même à lui
devenir à charge. L'hiver approchait : tout le monde
retournait à la ville, et la campagne devenait déserte.
Elle me proposa de reprendre une maison à Paris.
Je n'y consentis point ; mais, pour la satisfaire en
quelque chose, je lui dis que nous pouvions y louer un
appartement meublé, et que nous y passerions la nuit,
lorsqu'il nous arriverait de quitter trop tard l'assemblée

où nous allions, plusieurs fois la semaine: car l'in-
commodité de revenir si tard à Chaillot était le prétexte
qu'elle apportait pour le vouloir quitter. Nous nous
donnâmes ainsi, deux logements, l'un à la ville, et
l'autre à la campagne.

Histoire du Chevalier des Grieux et de Manon Lescaut
by l'Abbé Prévost d'Exiles (1697–1763).

The Gardener

Un âcre courroux fermentait, en mon cœur, contre ce
vieil ours qui ne m'avait encore rien dit, ce matin-là,
mais qui ne pouvait manquer de me dire quelque
chose de discourtois et de vénéneux. J'exécrais par-
dessus tout son tenace refus de s'associer, en quelque
façon que ce fût, aux aîtres d'une maison qu'il hantait
depuis des années. Il ne disait pas même 'la cour',
'l'escalier' mais 'votre cour' 'votre escalier'. Il n'adop-
tait ni ses instruments ni ses créatures et soufflait d'une
voix rogue: 'Votre brouette ne marche plus. . . . Vos
fleurs ne sont pas trop réussies, avec cette sécheresse.
. . .' Je crois qu'il parlait et pensait ainsi par orgueil
extrême. Il n'employait jamais les adjectifs possessifs
de la première personne, pour ne pas se compromettre
avec rien, pour ne pas s'attribuer telle chose, tel être
qui l'eussent pu décevoir ou trahir. Il disait, désignant
du menton les débris de son outil: 'Votre bêche est
cassée.' Hélas! il préférait ne pas posséder de bêche
plutôt qu'en avouer une qui fût, comme les autres,
infidèle et périssable.

Ainsi rêvais-je, et, bientôt, à travers ma nuageuse
méditation, filtrait quelque rayon de soleil. Tout
aussitôt, je m'élançais dans l'escalier.

Le jardin n'était point de dimensions médiocres.

Il m'eût été possible d'y faire une honnête promenade sans m'approcher du bourru, sans même avoir l'air de l'apercevoir. Mais je répugne à ces lâchetés. En outre, c'était courir le risque d'hostilités franches. Malgré moi, par d'insensibles inflexions de l'itinéraire, je préparais ma rencontre avec M. Nicolas.

Eût-il été jardinier du pape, M. Nicolas n'aurait pas consenti, j'en suis sûr, à saluer le premier son sanctissime patron. Il se jugeait bon ouvrier et tenait que l'homme au travail ne saurait, pour qui que ce fût, se déranger de son office.

Fables de mon Jardin (pp. 162–4) by Georges Duhamel,
(Mercure de France, 26 Rue de Condé, Paris 7), 1936.

10 The Use of *Faire*

There are in French many idioms and turns of phrase involving the use of the verb *faire*: for example: *il n'en fait qu' à sa tête*, 'he always follows his own inclination, goes his own way':

cela fera très bien mon affaire, 'that will suit me very well, that's just what I want'.

il fait son droit, 'he's reading law'.

The list is long and we are not specifically concerned with it here. More important for our purpose is the use of *faire* in conjunction with the infinitive of another verb.

This combination can be causative: e.g.:—

il m'a fait venir, 'he made or caused me to come'.

i.e. 'he sent for me'.

There is nothing difficult about such a usage. It has to be remembered, however, that the infinitive in such constructions may be passive rather than active in meaning. In English 'house to let' may be regarded as meaning 'house to be let'. In the same way the French is *maison à louer*. In combination with a tense of *faire* such phrases are often used with the meaning of 'causing something to be done'. To a hotel porter one might say '*Voulez-vous descendre mes bagages, s'il vous plaît*', 'will you please bring down my luggage'. But to the manager or the receptionist one would say: '*Voulez-vous faire descendre mes bagages, s'il vous plaît*', 'would you please have my luggage brought down'. Similarly, *c'est là que je ferai bâtir ma maison* 'that's where I shall have (get) my house built'. In this example *ma maison,* despite the translation, is the object of *bâtir*. Now if in sentences of this kind the tense of *faire* also has an object, this object (though one will come across instances to the contrary) must be indirect. *Je lui ferai lire cet article,* 'I will get him to read this article'.

If we have a noun object instead of a pronoun, the sentence becomes *je ferai lire cet article à mon ami,* 'I will get my friend to read this article', But: *tous les soirs je le fais lire* 'every evening I get him to read'. Here there is no object to *lire,* so the object of *fais* can be direct.

This use of *faire* can also be reflexive. *Il s'est fait couper les cheveux,* 'he has had (got) his hair cut'.

Sometimes *par* may be used instead of *à.*

In addition to *faire,* other verbs, notably *laisser, entendre* and *voir* can be used in the same way. Here are various examples, with translation added in certain instances:—

(a) *Le contraste entre tant d'autorité et tant de simplicité la faisait aimer (Edouard VII et son temps* by A. Maurois), 'the contrast between so much authority and so much simplicity made her (Queen Victoria) beloved'.

(b) *je croyais imiter assez exactement ce que j'avais vu faire à mon père*—'what I had seen my father do'.

(c) *n'allez pas croire que la passion fasse oublier son devoir à Jacques*—'made Jacques forget his duty'.

(d) *on se laisse prendre ainsi à des sentiments qu'on estime passagers (Les Trois Confesseurs* by H. Bordeaux)—'so it is that one allows oneself to be mastered by certain feelings, believing them to be fleeting'.

(e) *je ne me laisse jamais parler par ces affreux bonshommes de St. Germain des Près (La Fête* by R. Vailland)—'to be spoken to by—'

(f) *Devant le Passage du Saumon une large litière de paille qu'on renouvelle tous les deux jours fait dire aux gens de la rue: Il y a là-haut quelque vieux*

richard en train de mourir (Le Petit Chose by
A. Daudet)—'caused people in the street to say
'Up there some rich old man is by way of dying'.
(g) *Elle ne se le fit pas dire deux fois,* 'she didn't need
to be told twice'.
(h) *Des cris perçants se firent entendre,*—'made them-
selves heard'.

The New Assistant Master

Les rues étaient noires et désertes. . . . Sur la place
d'armes, quelques personnes attendaient la voiture,
en se promenant de long en large devant le bureau mal
éclairé.

A peine descendu de mon impériale, je me fis
conduire au collège sans perdre une minute. J'avais
hâte d'entrer en fonctions.

Le collège n'était pas loin de la place; après m'avoir
fait traverser deux ou trois larges rues silencieuses,
l'homme qui portait ma malle s'arrêta devant une
grande maison, où tout semblait mort depuis des
années.

—C'est ici, dit-il en soulevant l'énorme marteau de
la porte.

Nous entrâmes. J'attendis un moment sous le
porche, dans l'ombre. L'homme posa ma malle par
terre, je le payai, et il s'en alla bien vite. . . . Bientôt
après, un portier somnolent, tenant à la main une
grosse lanterne, s'approcha de moi.

—Vous êtes sans doute un nouveau? me dit-il d'un
air endormi.

—Je ne suis pas un élève du tout, je viens ici comme
maître d'étude; conduisez-moi chez le principal. . . .

Le portier parut surpris; il souleva un peu sa

casquette et m'engagea à entrer une minute dans sa
loge. Pour le quart d'heure, M. le Principal était à
l'église avec les enfants. On me mènerait chez lui
dès que la prière du soir serait terminée.

Dans la loge, on achevait de souper. Un grand beau
gaillard à moustaches blondes dégustait un verre
d'eau-de-vie aux côtés d'une petite femme maigre,
souffreteuse, jaune comme un coing et emmitouflée
jusqu'aux oreilles dans un châle fâné.

—Qu'est-ce donc, monsieur Cassagne? demanda
l'homme aux moustaches.

—C'est le nouveau maître d'étude, répondit le
concierge en me désignant. . . . 'Monsieur est si petit
que je l'avais d'abord pris pour un élève'.

Le Petit Chose by Alphonse Daudet (1840–97).

Strolling Player

J'avais bien souvent désiré d'être aimée d'un grand,
d'avoir de riches toilettes, de vivre sans souci dans les
recherches et les délicatesses du luxe, et souvent il
m'était arrivé de maudire ce sort rigoureux qui me
forçait d'errer de bourg en ville, sur une charrette,
suant l'été, gelant l'hiver, pour faire mon métier de
baladine. J'attendais une occasion d'en finir avec cette
vie misérable, ne me doutant pas que c'était ma vie
propre, ma raison d'être, mon talent, ma poésie, mon
charme et mon lustre particulier. Sans ce rayon d'art
qui me dore un peu, je ne serais qu'une drôlesse
vulgaire comme tant d'autres. Thalie, déesse vierge,
me sauvegarde de sa livrée, et les vers des poètes,
charbons de feu, touchant mes lèvres, les purifient de
plus d'un baiser lascif et mignard.

Mon séjour dans le pavillon du marquis m'éclaira.
Je compris que ce brave gentilhomme n'était pas épris
seulement de mes yeux, de mes dents, de ma peau,
mais bien de cette petite étincelle qui brille en moi
et me fait applaudir. Un beau matin je lui signifiai
tout net que je voulais reprendre ma volée et que cela
ne me convenait pas d'être à perpétuité la maîtresse
d'un seigneur; que la première venue pouvait bien le
faire et qu'il m'octroyât gracieusement mon congé, lui
affirmant d'ailleurs que je l'aimais bien et que j'étais
parfaitement reconnaissante de ses bontés. Le marquis
parut d'abord surpris mais non fâché, et après avoir
réfléchi quelque peu, il dit: 'Qu'allez-vous faire,
mignonne?' Je lui répondis 'Rattraper en route la
troupe d'Hérode ou la rejoindre à Paris si elle y est
déjà. Je veux reprendre mon emploi de soubrette, il y
a longtemps que je n'ai dupé de Géronte.'

Cela fit rire le marquis. 'Eh bien,' dit-il, 'partez en
avant avec l'équipage de mules que je mets à votre
disposition. Je vous suivrai sous peu. J'ai quelques
affaires négligées qui exigent ma présence à la cour,
et il y a longtemps que je me rouille en province. Vous
me permettrez bien de vous applaudir, et si je gratte à
la porte de votre loge, vous m'ouvrirez, je pense.'

Le Capitaine Fracasse by Théophile Gautier (1811–1872).

A Disturbed Night

Raymonde prêta l'oreille. De nouveau et par deux fois
le bruit se fit entendre, assez net pour qu'on pût le
détacher de tous les bruits confus qui formaient le
grand silence nocturne, mais si faible qu'elle n'aurait
su dire s'il était proche ou lointain, s'il se produisait

entre les murs du vaste château, ou dehors, parmi les
retraites ténébreuses du parc.

Doucement elle se leva. Sa fenêtre était entrouverte,
elle en écarta les battants. La clarté de la lune reposait
sur un calme paysage de pelouses et de bosquets où
les ruines éparses de l'ancienne abbaye se découpaient
en silhouettes tragiques, colonnes tronquées, ogives
incomplètes, ébauches de portiques et lambeaux
d'arcs-boutants. Un peu d'air flottait à la surfaces des
choses, glissant à travers les rameaux nus et immobiles
des arbres, mais agitant les petites feuilles naissantes
des massifs.

Et soudain, le même bruit… C'était vers sa gauche et au-dessous d l'étage qu'elle habitait, par conséquent dans les salons qui occupaient l'aile occidentale du château.

Bien que vaillante et forte, la jeune fille sentit l'angoisse de la peur. Elle passa ses vêtements de nuit et prit les allumettes.

'Raymonde… Raymonde.'

Une voix faible comme un souffle l'appelait de la chambre voisine dont la porte n'avait pas été fermée. Elle s'y rendait à tâtons, lorsque Suzanne, sa cousine, sortit de cette chambre et s'effondra dans ses bras.

'Raymonde… c'est toi!… tu as entendu?'

'Oui… tu ne dors donc pas.'

'Je suppose que c'est le chien qui m'a réveilleé il y a longtemps… Mais il n'aboie plus. Quelle heure peut-il être?'

'Quatre heures environ.'

'Écoute… On marche dans le salon.'

'Il n'y a pas de danger, ton père est là, Suzanne.'

'Mais il y a du danger pour lui. Il couche à côté du petit salon.'

'M. Daval est là aussi.'

'A l'autre bout du château… Comment veux-tu qu'il entende?'

Elles hésitèrent, ne sachant à quoi se résoudre. Appeler? Crier au secours? Elles n'osaient, tellement le bruit même de leur voix leur semblait redoutable. Mais Suzanne qui s'était approchée de la fenêtre étouffa un cri.

'Regarde… un homme près du bassin!'

L'Aiguille Creuse (from the opening paragraphs)
by Maurice Leblanc
(Livre de Poche, 4 Rue de Galliéra, Paris 16).

H

The Lift Boy

Le petit garçon se fit à sa nouvelle existence, limitée,
bien sûr, par ses fonctions, à ce qu'il pouvait apercevoir
de cette vie du Grand Palace à laquelle il participait
sans y pénétrer. Bientôt il ne put en concevoir d'autre
que celle-ci qui le satisfaisait pleinement. Il fit son
travail, son devoir, non seulement correctement mais
avec zèle et tant de gentillesse qu'il sut conquérir
tous les cœurs. Il fit même se taire les chasseurs qui,
après tout, et étant, eux, sans imagination, n'avaient
pas à lui envier cette étroite et monotone prison
montant et descendant à longueur de journée dans une
cheminée d'où l'on ne pouvait s'évader comme ils le
faisaient pour les courses en ville; qui interdisait à
son minuscule geôlier d'accompagner—sauf tout à
fait par hasard—les clients jusqu'à leur chambre et là,
posant leur nécessaire sur la coiffeuse, tirant les rideaux
et entrouvrant ou refermant la fenêtre suivant les
saisons, contrôlant la température des radiateurs, de
recevoir leur obole avec, selon sa valeur, des transports
chaleureux ou un hautain mépris.

Il était bien rare que les chasseurs fussent tous à la
fois occupés et que Charly dût précéder le client,
tenant la clef que, tout à l'heure, il lui remettrait, le
nécessaire ou la valise lui battant si bien le mollet
qu'il lui était arrivé de s'entendre dire, et par une
femme encore: 'Donne-moi ça, mon petit', ce qui
n'avait pas empêche, du reste, qu'il reçût dans le creux
de sa petite main une pièce qui l'avait fait rougir, on
n'eût pu dire alors si c'était de joie ou de confusion.

Le Petit Garcon de l'Ascenseur (pp. 29–30) by Paul Vialar.
(Les Éditions Mondiales, 2 Rue des Italiens, Paris 9), 1957.

Farmer's Boy

Le père Caillaud, voyant que des deux bessons[1] on lui
amenait le plus fort et le plus diligent, fut tout aise
de le recevoir. Il savait bien que cela n'avait pas dû
se décider sans chagrin, et comme c'était un brave
homme et un bon voisin, fort ami du père Barbeau, il
fit de son mieux pour flatter et encourager le jeune gars.
Il lui fit donner vivement la soupe et un pichet de
vin pour lui remettre le cœur, car il etait aisé de voir
que le chagrin y était. Il le mena ensuite avec lui pour
lier les bœufs et il lui fit connaître la manière dont il
s'y prenait. De fait, Landry n'était pas novice dans
cette besogne-là; car son père avait une jolie paire de
bœufs, qu'il avait souvent ajustés et conduits à mer-
veille. Aussitôt que l'enfant vit les grands bœufs du
père Caillaud, qui étaient les mieux tenus, les mieux
nourris et les plus forts de race de tout le pays, il se
sentit chatouillé dans son orgueil d'avoir une si belle
aumaille au bout de son aiguillon. Et puis il était
content de montrer qu'il n'était ni maladroit ni lâche,
et qu'on n'avait rien de nouveau à lui apprendre.
Son père ne manqua pas de le faire valoir, et quand le
moment fut venu de partir pour les champs, tous les
enfants du père Caillaud, garçons et filles, grands et
petits, vinrent embrasser le besson, et la plus jeune
des filles lui attacha une branchée de fleurs avec des
rubans à son chapeau, parce que c'était son premier
jour de service et comme un jour de fête pour la famille
qui le recevait. Avant de le quitter, son père lui fit
une admonestation en présence de son nouveau
maître, lui commandant de le contenter en toutes
choses et d'avoir soin de son bétail comme si c'était
son bien propre.

[1] *besson* = twin.
[2] *aumaille* = cattle.   *La Petite Fadette* by George Sand (1804–76).

On the Scene of the Accident

Sans mot dire, Franz avait fait virer l'automobile.
Henri m'aida à y monter, et presque aussitôt nous
fûmes au milieu d'un groupe d'ombres qui s'entre-
tenaient à voix basse. C'étaient des paysans des
environs, des gens de la ville. Tous se turent en me
reconnaissant.

La route, du côté du ravin, est bordée par une mince
rangée de pierres. Un trou de deux mètres dans ce
parapet rudimentaire décelait l'endroit par où l'automobile de Camille s'était précipitée.

Bondissant hors de celle du garagiste, Franz était
déjà en train de descendre dans le ravin. Je voulais
l'imiter. Des bras me retinrent.

—Laissez-moi. Moi aussi, je veux voir.'

Au même instant, une nouvelle automobile sur-
venait. C'était le médecin qu'on était allé chercher.
Il était âgé, peu ingambe. On dut lui faire faire un
détour pour le conduire vers le sinistre amas, qui, à
trente pas en contre-bas, se distinguait vaguement dans
l'ombre. Autant qu'on me le permit, je me penchai.
La lanterne et la lampe electrique, que nous aperce-
vions tout à l'heure de la route, allant et venant étaient
maintenant immobiles, concentrant sur ces informes
débris leur tremblante lueur. Aucun bruit, aucune
parole ne sortait de ce trou ténébreux, ni aucun gémisse-
ment. Puis il me sembla entendre quelque chose, une
plainte, un sanglot mal réprimé. C'était Franz.

—Franz, Franz,' criai-je, 'elle vit, n'est-ce pas?
Elle vit?'

Je n'eus pas de réponse. Seulement, à mon côte, un
homme dont je ne distinguais pas les traits murmura
en patois:

—Pauvre dame! A quoi bon la laisser ici. Il faut la ramener à Maguelonne.

Alberte (pp. 200–201) by Pierre Benoit.
(Albin Michel, 22 Rue Huyghens, Paris 14), 1926.

11 Poetry and Dramatic Verse

Some poems, even in one's own language, are difficult to understand. This may be due in part to unfamiliar or archaic words, but can more usually be put down to the subtlety or elusiveness of the ideas expressed or to the fact that some of the images and metaphors to be found have some private or personal significance for the poet, but obscure rather than illumine his meaning for the reader.

Here we are not concerned with complexities of thought, but merely with more ordinary difficulties which arise because the writer of verse has to comply with certain rules of metre or rhyme not required of the prose writer. In particular the word-order may be unusual.

To take a simple example. We should not in prose write: 'Approach with joy His courts unto' or, as in the Scottish metrical psalm: 'With flocks the pastures clothed be, the vales with corn are clad.'

In French poetry such variations of the normal order of words are frequent. This, together with the inversion of subject and verb in relative clauses, is liable to be disconcerting to anyone endeavouring to translate the passage into straightforward English prose. It is really a matter of studying a sentence carefully and, so to speak, taking it to bits and reassembling it.

Consider, for instance, these four lines from Victor Hugo's *Clair de Lune*

La sultane regarde, et la mer qui se brise
Là-bás, *d'un flot d'argent* brode les noirs ilôts
De ses doigts en vibrant s'échappe la guitare.
Elle écoute... Un bruit sourd frappe les sourds échos.

If the word order were changed to: *'et la mer qui se brise là-bas brode les noirs ilôts d'un flot d'argent*, and to *la guitare s'échappe de ses doigts* the sentences would be in normal prose.

In this little book not much space can be devoted to translation of this kind, but we have room for four distinctive passages, namely, an extract from a poem by Lamartine, a passage from a 19th century verse play, a bravura passage by Beaumarchais which, though written in prose, calls for a spirited rather than a prosaic rendering, and, finally, a charming modern poem by Jacques Prévert.

From *Le Vallon*

Mon cœur est en repos, mon âme est en silence;
Le bruit lointain du monde expire en arrivant,
Comme un son éloigné qu'affaiblit la distance,
A l'oreille incertaine apporté par le vent.

D'ici je vois la vie, à travers un nuage,
S'évanouir pour moi dans l'ombre du passé;
L'amour seul est resté, comme une grande image
Survit seule au réveil dans un songe effacé.

Repose-toi, mon âme, en ce dernier asile,
Ainsi qu'un voyageur qui, le cœur plein d'espoir,
S'assied, avant d'entrer, aux portes de la ville,
Et respire un moment l'air embaumé du soir.

Comme lui, de nos pieds secouons la poussière;
L'homme par ce chemin ne repasse jamais;
Comme lui, respirons au bout de la carrière
Ce calme avant-coureur de l'éternelle paix.

Alphonse de Lamartine (1790–1869).

The Adventuress

(Célie's father, M. de Monte-Prade, has broken off her engagement
to Horace, because the latter's father has criticised Monte-Prade for
his infatuation for Clorinde. In this extract from Act I the two
lovers discuss with Fabrice, Monte-Prade's son who has just returned
after many years' absence, how the old man can be brought to realise
Clorinde's true character.)

Horace : Mon oncle t'aime au fond : il suffit qu'il te
                voie
            Pour que son cœur se fonde en paternelle joie ;
            Profitons du moment pour frapper les grands
                coups ;
            Pendant qu'il est ému, tombons à ses genoux…
            J'y suis déjà tombé tout à l'heure, n'importe !
            Montrons-lui quel désordre ici Clorinde
                apporte,
            Que sa famille en souffre et que lui-même y
                perd
            Le bonheur du seul rôle à la vieillesse offert ;
            Ajoutons le tableau, si j'épouse Célie,
            D'adorables marmots barbouillés de bouillie
            Qui lui tirent la barbe en bégayant son nom,
            Et parbleu ! la Clorinde est perdue !

                                              Hélas, non !

Fabrice : Avec tous ses amis, s'il s'est brouillé pour elle
            Voudra-t-il écouter la voix d'un fils rebelle ?
            Contre ces passions, d'ailleurs, rien n'est puis-
                sant,
            Ni liens d'amitié, ni même ceux du sang.
            L'amour chez les vieillards a d'étranges
                racines,
            Et trouve, comme un lierre aux fentes des
                ruines,
            Dans ces cœurs ravagés par le temps et les
                maux,
            Cent brèches où pousser ses tenaces rameaux.

Horace : A ce compte, je vois peu de chances qu'il
     rompe
Fabrice : La seule est de prouver au vieillard qu'on le
     trompe,
     Qu'on n'a d'amour pour lui qu'à cause de son
     bien ;
     Mais ce n'est pas facile, à ne vous cacher rien.
Horace : La drôlesse est habile et sait bien se conduire.
Fabrice : L'important est d'abord ici de m'introduire,
     Afin d'étudier notre intrigante à fond.
Horace : Pourquoi ne pas venir simplement...
Fabrice :   Sous mon nom ?
     Parce que, si je viens sous mon nom, la
     gaillarde
     Voyant mon intérêt va se tenir en garde.
Horace : Rien de plus simple ; prends le premier nom
     venu.
Fabrice : Et de mon père alors si je suis reconnu ?
Horace : Bah ! ton portrait que j'ai recueilli dans ma
     chambre
     Te ressemble à présent comme avril à sep-
     tembre.
     Ton père n'y voit plus, d'ailleurs, à quatre pas !
Fabrice : A la bonne heure ; mais il reste un embarras :
     Comment me faire admettre à moins d'être
     Fabrice.
Horace : Ah ! c'est juste !
Celie :   Il faudrait trouver un artifice.
Fabrice Si je me présentais au nom.
Horace   Oui, c'est cela.
Fabrice : Au nom de qui, nigaud ?
Horace :   Ah ! de qui ?
Fabrice :   M'y voilà !
     J'ai notre affaire ; viens qu'ici l'on ne me voie.
     Je t'expliquerai tout. Enfants, soyez en joie !

L'Aventurière, Comédie en vers by Émile Augier (1820–89).

Master and Servant

Le Comte : Ta joyeuse colère me réjouit. Mais tu ne
me dis pas ce qui t'a fait quitter Madrid.

Figaro : C'est mon bon ange, Excellence, puisque je
suis assez heureux pour retrouver mon ancien
maître. Voyant à Madrid que la république des
lettres était celle des loups, toujours armés les uns
contre les autres, et que livrés au mépris où ce
risible acharnement les conduit, tous les insectes,
les moustiques, les cousins, les critiques, les
maringouins, les envieux, les feuillistes, les libraires,
les censeurs, et tout ce qui s'attache à la peau des
malheureux gens de lettres, achevaient de déchi-
queter et sucer le peu de substance qui leur restait ;
fatigué d'écrire, ennuyé de moi, dégoûté des autres,
abîmé de dettes et léger d'argent ; à la fin, convaincu
que l'utile revenu du rasoir est préférable aux vains
honneurs de la plume, j'ai quitté Madrid ; et mon
bagage en sautoir parcourant philosophiquement
les deux Castilles, la Manche, l'Estramadure, la
Sierra Morena l'Andalousie, accueilli dans une
ville, emprisonné dans l'autre, et partout supérieur
aux événements ; loué par ceux-ci, blâmé par ceux-
là, aidant au bon temps, supportant le mauvais, me
moquant des sots, bravant les méchants, riant de ma
misère et faisant la barbe à tout le monde, vous me
voyez enfin établi à Séville, et prêt de nouveau à
servir votre Excellence en tout ce qu'il lui plaira
m'ordonner.

Le Comte : Qui t'a donné une philosophie aussi gaie ?

Figaro : L'habitude du malheur. Je me presse de rire
de tout, de peur d'être obligé d'en pleurer.

Le Barbier de Séville, (Act I sc. II) by Beaumarchais (1732–1799).

Chanson de la Seine

La Seine a de la chance
Elle n'a pas de soucis
Elle se la coule douce
Le jour comme la nuit.
Et elle sort de sa source
Tout doucement sans bruit
Et sans se faire de mousse
Sans sortir de son lit
Elle s'en va vers la mer
En passant par Paris
La Seine a de la chance
Elle n'a pas de soucis

Et quand elle se promène
Tout le long de ses quais
Avec sa belle robe verte
Et ses lumières dorées
Notre-Dame jalouse
Immobile et sévère
Du haut de toutes ses pierres
La regarde de travers
Mais la Seine s'en balance
Elle n'a pas de soucis
Elle se la coule douce
Le jour comme la nuit
Et s'en va vers le Havre
Et s'en va vers la mer
En passant comme un rêve
Au milieu des mystères
Des misères de Paris.

by Jacques Prévert (1900–   ) One of three songs with music
by Kosma written for Eli Lotar's documentary film *Aubervilliers*
(Words copyright 1949 by Librarie Gallimard, 5 Rue Sébastien-
Bottin, Paris 7).

12 Conversational Passages

The following extracts, apart from a few idiomatic phrases, do not introduce constructions of a kind which have not already been considered in this book. But narrative passages are written usually for the most part in the third person, whereas these extracts, consisting either of dialogue from plays or of mainly conversational passages from novels provide practise in using the first person rather than the third and in seeking to reproduce in English style which, in the French, ranges from the dignified to the colloquial.

Doctor and Patient

La Dame : Il y a un espoir de guérison?

Dr Knock : Oui, à la longue.

La Dame : Ne me trompez pas, docteur, je veux savoir la vérité.

Knock : Tout dépend de la régularité et de la durée du traitement... Je n'oserais peut-être pas donner cet espoir à un malade ordinaire, qui n'aurait ni le temps ni les moyens de se soigner suivant les méthodes les plus modernes. Avec vous, c'est différent.

La Dame : Oh! Je serai une malade très docile, docteur, soumise comme un petit chien. Je passerai partout où il le faudra, surtout si ce n'est pas trop douloureux.

Knock : Aucunement douloureux, puisque c'est à la radio-activité que l'on fait appel. La seule difficulté, c'est d'avoir la patience de poursuivre bien sagement la cure pendant deux ou trois années, et aussi d'avoir sous la main un médecin qui s'astreigne à

une surveillance incessante du processus de guérison, à un calcul minutieux des doses radio-actives—
et à des visites presque quotidiennes.

La Dame : Oh! moi, je ne manquerai pas de patience.
Mais c'est vous, docteur, qui n'allez pas vouloir
vous occuper de moi autant qu'il faudrait.

Knock : Vouloir, vouloir! Je ne demanderai pas
mieux. Il s'agit de pouvoir. Vous demeurez loin?

La Dame : Mais non, à deux pas. La maison qui est en
face du poids public.

Knock : J'essayerai de faire un bond tous les matins
jusque chez vous. Sauf le dimanche et le lundi à
cause de ma consultation.

La Dame : Mais ce ne sera pas trop d'intervalle, deux
jours d'affilée? Je resterai pour ainsi dire sans soins
du samedi au mardi?

Knock : Je vous laisserai des instructions détaillées et
puis, quand je trouverai une minute je passerai le
dimanche matin ou le lundi après-midi.

La Dame : Ah! tant mieux! Tant mieux!

Knock ou le Triomphe de la Médecine (Act II, sc. V) by Jules
Romains, 1924,
(N.R.F., Gallimard, 5 Rue Sébastien-Bottin, Paris 7).

An Artist

'J'ai connu autrefois un vrai peintre' dit Tobie: c'était
il y a dix ou onze ans à New York? Je devais avoir
seize ans, à ce moment-là, quelque chose comme ça,
moins peut-être. Mon père m'avait envoyé aux États
Unis pour mon éducation. C'est là que j'ai rencontré
ce type, à New York. Il s'appelait Gobel, et je n'ai
jamais su d'où il venait. Il parlait très mal l'anglais, je
pense qu'il devait être arménien, quelque chose dans

ce genre. C'était une espèce de fou, il vivait comme un
clochard, en traînant à travers les États Unis. Il ne
peignait que sur le trottoir, avec des bouts de craie.
Il faisait des tableaux extraordinaires, comme ça,
dans la rue avec sa craie, et puis après, il s'asseyait à
côté et il attendait que les gens lui lancent quelques
pièces. C'était tout ce qu'il voulait. Et pourtant il a
fait comme ça les plus beaux tableaux du monde. Le
lendemain tout était effacé. Les gens avaient marché
dessus, il avait plu, ou on avait lavé le trottoir. Et il
ne restait rien. Mais lui, Gobel, il s'en moquait. Il
recommençait un autre tableau ailleurs, et il attendait
qu'on lui lance quelques sous.'

Tobie but encore un peu de café. 'Je ne sais pas ce qu'il est devenu. Il doit être quelque part, en Amérique ou ailleurs. Moi, je l'ai regardé peindre comme ça tout le temps où je suis resté à New York. Il ne parlait presque plus. Je crois bien que je finissais par l'embêter, à rester là à le regarder travailler tous les jours. Et pourtant c'était une espèce de génie, si ce mot veut dire quelque chose. J'aurais aimé lui ressembler. Pauvre Gobel!'

La Fièvre by J. M. G. Le Clézio (p. 46)
(N.R.F., Gallimard, 5 Rue Sébastien-Bottin, Paris 7), 1965.

Author and Publisher at Lunch

'Je vais vous dire une bonne chose, mon petit ami: parmi les jeunes romanciers de moins de trente ans, je n'en connais pas un seul qui soit moitié aussi doué que vous. Et, cependant, je ne parierais pas une roupie de sansonnet[1] sur votre avenir littéraire. Est ce que je me fais bien comprendre?'

'Tout le monde n'est pas de votre avis.'

Georges décervelait habilement la tête écarlate du homard. Il se sentait heureux.

'Non, non, tout le monde n'est pas de mon avis, en effet. Mais je suis devenu difficile. Oh! je sais: vous allez me dire que cinq ou six éditeurs vous ont fait depuis un mois des propositions pour votre prochain roman.'

Le vieil homme hocha sa grosse tête de batracien aux yeux lourds et pochés, au teint de plomb, aux lévres épaisses:

'Le métier n'est plus ce qu'il était. Autrefois un éditeur n'aurait jamais pris dans son écurie un auteur

une roupie de sansonnet (colloquial)—'a brass farthing'.

déjà publié par un autre éditeur. Il aurait demandé courtoisement l'autorisation de son confrère. Voilà ce qu'il aurait fait. A présent, dès qu'un nouveau-né a dépassé 20,000 exemplaires de tirage, il se met aux enchères. L'édition devient une foire d'empoigne, une criée.'

Georges répondit plus souriant que jamais.

'Et alors? Vous acceptez bien le principe des enchères, la loi de l'offre et de la demande, pour toutes les marchandises et même pour les objets d'art! Mais pour la chose écrite, vous refusez cela. Vous contestez le droit au jeune auteur de se vendre au plus offrant— au meilleur? Ce n'est pas gentil ça, mon vieux.'

'Quand un éditeur a mis son cœur et son argent dans le lancement d'un inconnu, vous ne comprenez pas qu'il puisse être amer en le voyant partir ailleurs?'

'Non! C'est le jeu. C'est la jungle. C'est la vie!'

> *Les Écrivains* (Chap. 5) by Michel de Saint-Pierre,
> (Calmann-Lévy, Ed., 3 Rue Auber, Paris 9), 1957.

The Bedside Manner

'D'abord, il faut avoir fait de la pratique.'

'Ceux qui ont révolutionné la science n'en faisaient pas—Van Helmont, Boerhave, Broussais lui-même.'

Vaucorbeil, sans répondre, se pencha vers Gouy, et haussant la voix: 'Lequel de nous deux choisissez-vous pour médecin?'

Le malade, somnolent, aperçut des visages en colère, et se mit à pleurer.

Sa femme non plus ne savait que répondre, car l'un était habile, mais l'autre avait peut-être un secret?'

'Très bien' dit Vaucorbeil, 'puisque vous balancez entre un homme nanti d'un diplôme—' Pécuchet ricana.

I

'Pourquoi riez-vous?'

'C'est qu'un diplôme n'est pas toujours un argument.'

Le docteur était attaqué dans son gagne-pain, dans sa prérogative, dans son importance sociale. Sa colère éclata.

'Nous le verrons quand vous irez devant les tribunaux pour exercice illégal de la médecine.' Puis, se tournant vers la fermière. 'Faites-le tuer par monsieur, tout à votre aise; et que je sois pendu si je reviens jamais dans votre maison.'

Et il s'enfonça sous la hêtraie en gesticulant avec sa canne.

Bouvard et Pécuchet by Gustave Flaubert (1821–80).

Pretentiousness Exposed

(The respective parents of an engaged couple have been trying to impress each other by suggesting as a marriage settlement sums far greater than either family can really afford. Here, another relative, without social ambitions, brings them to their senses.)

Ratinois: Tenez, voulez-vous que je vous dise ma façon de penser?

Malingear: Vous me ferez plaisir.

R.: Eh bien, vous cherchez un biais pour rompre ce mariage?

M.: Comment, un biais?

R.: Un biais! je maintiens le mot. Mais moi qui suis un honnête homme.

M.: Pas plus que moi!

R.: C'est possible! Mais comme je ne veux pas de biais, moi, je vous dis tout net...

Tous Deux. (ensemble): Rompons!

Robert: Voyons, messieurs, pas d'emportement!

R.: Je ne m'emporte pas! *(à part)* Ça y est! C'est rompu!

M. (à part) : C'est une affaire terminée!

Robert : Vous allez vite en affaires! Une rupture! *(à Ratinois)* Heureusement que ton fils n'aimait pas Mlle. Malingear, n'est-ce pas?

R. : Il ne l'aimait pas! Il ne l'aimait pas! C'est à dire, si... il en était fou! Mais qu'est-ce que cela fait?

Robert (à Malingear) : Et Mlle. Ernestine n'était que médiocrement... éprise de Frédéric?

M.: Médiocrement?... C'est à dire... elle paraissait avoir un certain penchant pour lui... je ne le cache pas... mais.

Robert : Mais, qu'est-ce que cela fait, n'est-ce pas?

M.: Je n'ai pas dit cela, permettez...

Robert (éclatant) : Non, je ne permets pas! Vous êtes des vaniteux, des orgueilleux!

M.: Monsieur!

R.: Mon oncle!

Robert : Ah! Voilà un quart d'heure que je me retiens... il faut que ça parte! Vous cherchez depuis quinze jours à vous éblouir, à vous mentir, à vous tromper...

Tous Deux : Comment!

Robert : Oui, à vous tromper, en vous promettant des dots que vous ne pouvez pas donner. Est-ce vrai? En vous pavanant dans une existence, dans un luxe qui n'est pas le vôtre.

R.: Mais...

Robert : Il n'y a pas de mais! J'ai fait causer tes domestiques. Quand je veux savoir, je cause avec les domestiques. C'est mon système!

R.: Qu'ont-ils pu vous dire?

Robert : D'abord, j'ai rencontré un nègre dans la cuisine... Et puis monsieur a pris une voiture au mois, une loge aux Italiens. Ratinois aux Italiens!

R.: Mais il me semble que c'est un théâtre...

Robert : Qui t'ennuie!

R. : Ah!

Robert : Je dis que ça t'ennuie... et ta femme aussi...
   et monsieur aussi!

R. : Eh bien, oui! là, c'est vrai!

M. : J'avoue que l'opéra italien...

R. : Alors, pourquoi louez-vous des loges?

M. : C'est ma femme.

R. : Ce sont ces dames.

Robert : Pour faire de l'embarras, du genre. Aujourd'
   hui c'est la mode : on se jette de la poudre aux yeux,
   on fait la roue, on se gonfle... comme des ballons.
   Et quand on est tout bouffi de vanité, plutôt que
   de se dire : 'Nous sommes deux braves gens bien
   simples... deux bourgeois,' on préfère sacrifier
   l'avenir, le bonheur de ses enfants...'

> *La Poudre aux Yeux* (Act II, sc. XIII) by Labiche (1815–88)
> and Martin (1828–66).

13 The Newspaper

Advertisements

In France, as in other countries, newspaper proprietors offset part of the expenses of production by selling space in their columns to advertisers. Many of the advertisements are large, but others are *'petites annonces'* often inserted by individuals who save space and therefore reduce expense by making use of abbreviations which, at first sight, seem baffling. What, for instance, are we to make of: 'Ecr. av. C.V. dét et appts désirés'?

In fact the range of vocabulary in such insertions is limited. For instance *écr = écrire, tél = téléphoner : s'adr = s'adresser =* apply, *se prés = se présenter =* call in person. (Note that in advertisements the French usually employ the Infinitive, not the Imperative).

Other frequent abbreviations are: *réf = références, prét = prétentions* (i.e. grounds for thinking oneself justified in applying), *ch = cherche : appt = appartement* whereas *appts* is likely to stand for *appointements =* salary. *C.V. = curriculum vitae =* particulars of career to date. Remember, however, that in a different context the letters may stand for *cheval-vapeur =* horse-power: *dét = détaillé* or *en détail*.

With these few hints and a little ingenuity it should be possible to determine the meaning of the following:
(a) Sem. 40h. Sam.lib. Engag. vac. respect.
(b) On dem. comptable: réf et prét à Sté X et Cie.
(c) Dame 60 ans, parl.angl., réf Ier ordre, ch. pl. gouv., non logée de préf.

(d) Monsieur seul ch bne à tt fre 45–50 ans, nourr, log.
     Se prés de 15 à 17 hres.

(e) Appt nf. 4 pers. vue s/mer, 100 m.plage pet jar.
     tt cft; mois ou quinz.

The last two are rather cryptic but all is made plain
once it is realised that in *(d) bne à tt fre = bonne à tout
faire* and that in (e) cft = *confort*.

In the longer advertisements contraction or abbre-
viation is unnecessary. The style is usually simple and
aims at emphasising two or three features of the article
or product concerned.

Here, for instance, is an advertisement of a particular
model of a well-known make of car.

The Latest Model

Sous le capot de la Mercedes-Benz 230, vous trouverez
un moteur 6 cylindres nerveux puissant, souple et
rapide…

Prenez deux minutes de votre temps pour mieux
connaître la 230. C'est une des voitures les mieux
construites de sa catégorie…

Lors de votre essai, vous serez surpris des freins de
la 230; le système de freins assistés à double circuit,
avec disques à l'avant, garantit que la voiture s'arrêtera
en toute sécurité, même après de multiples coups de
freins violents…

Vous serez également intéressé de savoir que pour
maints détails de la 230 vous n'aurez pas de supplé-
ments à payer: au choix, levier de vitesse au plancher
ou au volant. Des sièges, conçus par des spécialistes,
réglables dans différentes positions, sur lesquels vous
vous sentirez à l'aise…

Nous vous invitons à aller voir votre agent Mercedes-

Benz pour faire un essai et un examen approfondi.

Royal-Elysées S.A.—Ch. Delecroix,
48 Ave. de la Grande Armée, Paris 17e.

From an advertisement on p. 18 of *Le Figaro* of 3 May,
1967.

Many articles in newspapers and periodicals are
concerned with national or world affairs, such as
meetings of statesmen, international conferences and
the like. Sometimes a journalist is able to write a
factual report or comment on an official communiqué.
More often he has to speculate about what is going on,
relying on his own knowledge and experience and on
hints, rumours and unofficial points of view. The
resulting article is likely to contain phrases such as
'according to a usually reliable source' or 'it is widely
believed' or 'it seems likely' and so on. French journal-
ists make use of similar cautious phrases, but also
employ the conditional form of a verb, not in the
ordinary sense of 'would' or 'should', but as indicating
possibility or conjecture.

This usage is illustrated by two quotations from
different pages of the issue of *Le Figaro* of 23 May 1967.

(a) Enfin l'Irak aurait proposé au Caire d'envoyer des
    troupes pour renforcer le dispositif égyptien à la
    frontière d'Israël.

(b) Ce même document indique qu'outre les docu-
    ments, le malfaiteur *se serait approprié* une somme
    de 23 millions de francs guinéens.

In (a) the opening phrase might be rendered by
'Lastly, Irak is reported to have suggested to Cairo the
despatch' while in (b) the key phrase might be translated as 'in addition to the documents the criminal
seems to have got possession—'.

This use of the conditional is illustrated in two extracts, one taken
from Le *Monde*, the other from *Le Figaro*.

The Crisis in the Middle East

Washington, 22 mai. (De notre envoyé spécial permanent.)—

Les gouvernements américain et soviétique se tiennent en consultation permanente depuis quatre jours déjà au sujet de la crise du Moyen-Orient, apprend-on à Washington, de source proche de la Maison-Blanche.

Ce contact a été établi sur l'initiative des États-Unis. Bien que l'on se refuse ici, officiellement, à confirmer l'existence d'une lettre personnelle que le président Lyndon Johnson aurait fait parvenir à M. Kossyguine pour lui demander d'user de son influence auprès du Caire dans le sens de la modération, on reconnaît maintenant sans difficulté que l'ambassadeur des États-Unis à Moscou, M. Llewelyn Thompson, a été effectivement chargé d'une demande urgente auprès du Kremlin dès jeudi dernier.

Des contacts similaires ont d'ailleurs été pris simultanément à Paris et à Londres, comme à Ankara et à Téhéran.

Depuis lors, croît-on savoir, le président Johnson a eu plusieurs conversations téléphoniques directes avec M. Thompson. Celui-ci lui aurait confirmé son impression que les responsables soviétiques se montrent aussi gravement préoccupés de la situation qui vient de se créer au Moyen-Orient que le sont les dirigeants américains eux-mêmes.

Le Figaro—23 May 1967.
(Direction 14 Rond-Point des Champs-Élysées, Paris 8.)

The De Gaulle-Wilson Talks

LA CRISE DU MOYEN-ORIENT—Le premiér ministre britannique aurait beaucoup insisté sur la

convergence des conceptions britanniques et fran-
çaises. Il aurait même développé le thème selon lequel
une action commune aurait été possible pendant la
crise si une Europe unie avait existé et que l'Angleterre
en ait fait partie.

Cependant, du coté français, si l'on n'est pas fâché
de voir Londres s'orienter vers une politique plus
réservée à l'égard d'Israël, on ne tient en rien à
compromettre le crédit qu'a valu à l'Elysée sa politique
de stricte neutralité, par un geste qui pourrait impli-
quer un alignement sur un pays que les Arabes accusent
de complicité avec l'agresseur. Quant à une rencontre
à quatre, les deux interlocuteurs du Grand Trianon se
sont trouvés d'accord pour exprimer qu'elle avait peu
de vraisemblance dans l'immédiat.

L'EXTRÊME-ORIENT—Le général et son hôte ont
exposé à propos du Vietnam des vues assez contra-
dictoires, mais qui n'ont rien de bien nouveau. De là
ils sont passés à la Chine, et notamment à l'explosion
de sa première bombe thermonucléaire. Londres a
tenu lundi à déplorer officiellement cette expérience.
La France en revanche, n'a fait aucun commentaire.
On peut penser que cette contradiction publique
reflète le désaccord sur la non-prolifération.

L'AFRIQUE—Il semble que sous ce libellé général
le Premier britannique ait notamment traité du
problème, qui lui tient beaucoup à cœur, de la
Rhodésie. Il se plaindrait du maintien avec ce pays
d'un certain courant d'échanges en provenance de
France, en contradiction avec les décisions des Nations
unies. Aucune précision n'est donnée à ce sujet du
côté francais.

Le Monde of 21 June 1967 (page 1).
(Direction 5 Rue des Italiens, Paris 9.)

That this use of the conditional is not confined to purely journalistic
French is shown by the following extract from the sixth series of
Lenotre's *Vieilles maisons, vieux papiers*.

The Wild Woman of the Pyrenees

M. Vergnier, juge de paix du canton, comprit qu'il
devait agir. Il se transporta à Suc, mobilisa une
nombreuse troupe de traqueurs, qu'il dirigea en
stratège habile. La femme sauvage fut prise, et pour
parer à toute nouvelle évasion, on la mena, cette fois à
Vic-Dessos.

Vergnier s'appliqua d'abord à inspirer confiance à
sa prisonnière; il s'était mis en tête de 'lui dérober le
secret de ses malheurs'. Il réussit à lui faire accepter de
sa main quelques aliments crus, herbes, viande ou
poisson; mais à toutes ses questions elle gardait un
silence obstiné. Pourtant, comme il cherchait à savoir
par quel moyen elle avait échappé aux ours de la
montagne: 'Les ours', dit-elle, 'ils sont mes amis, ils
me réchauffaient!' Elle prononça ces mots distincte-
ment, sa voix était pure, sans accent étranger, et on
discerna à la façon dont elle s'exprimait 'qu'elle
n'appartenait pas à la classe du peuple'. A quelques
autres bouts de phrase qu'on lui arracha à force
d'insistance, on crut deviner que, en 1793, fuyant la
Révolution, elle aurait avec son mari émigré en
Espagne. Après plusieurs années d'exil, les deux
époux s'étaient décidés à regagner leur patrie. Soit que
quelque motif politique les détournât d'affronter la
surveillance des frontières, soit qu'ils préférassent
rentrer chez eux incognito, ils se seraient engagés sans
guide dans les sentiers des Pyrénées, où des contre-
bandiers les auraient assaillis; le mari aurait été tué au
cours de la lutte, la femme, folle de désespoir et résolue
à mourir, se serait égarée dans les parties les plus

désertes de la montagne. Ainsi avait commence son
existence de Robinson, qui s'était prolongé durant
deux ans au moins.

Vieilles Maisons, vieux papiers, Sixième Série (pp. 123–4)
by G. Lenotre.
(Perrin et Cie, Ed., 35 Quai des Augustins, Paris 6), 1930.

The remaining four extracts from *Le Figaro* call for
no particular comment.

They are chosen chiefly because each deals with a
different subject, involving to some extent a specialised
vocabulary, which at the same time presents little real
difficulty. It will be seen that French sporting journa-

lists, like their British counterparts, have a fondness
for somewhat highly coloured phrases and metaphors.

At the Cannes Film Festival

Des horaires incommodes obligent à parler plus
brièvement qu'il ne faudrait du nouveau film d'
Antonioni présenté sous nationalité britannique : 'Blow
Up' *(Agrandissement)*. L'indiscrétion dans un parc
d'un reporter, photographe passionné de choses vues,
et ses conséquences. Toutes les données d'un drame
sur une seule photographie. A un agrandissement,
l'image finit par livrer les moindres détails. Mais
l'œuvre se développe dans plusieurs directions et l'on
ne peut que la trahir en la résumant.

Il s'agit, au vrai, d'un reportage, d'un document sur
certains aspects de la vie moderne que pimente une
intrigue digne par moments d'Alfred Hitchcock, mais
que Hitchcock eût terminé d'une tout autre façon.
Suite de vues plus insolites et surprenantes les unes que
les autres. Elles suspendent, aiguisent, irritent l'intérêt.
Le mystère s'organise avec une lenteur proustienne
pour aller se résoudre dans les brumes de l'univers
fellinien. Le film obtient sans peine, une heure trente
durant, l'audience ardente du plus vaste public et
s'adresse, pour conclure, aux seuls spectateurs initiés.
Formule certainement discutable. Mais on ne discute
ni les qualités, ni les beautés, ni le charme du film dès
lorsqu'ils vous deviennent sensibles. Certains risquent
d'être dégoûtés par un épilogue en forme d'échappa-
toire philosophique. 'Blow Up' ne s'en impose pas
moins comme l'œuvre la plus riche, la plus inattendue,
la plus fascinante aussi, que nous ait révélée cette
compétition.

Review in *Le Figaro* of 9 May 1967 by Louis Chauvet.

Weather Forecast

Situation Générale—La perturbation pluvio-orageuse, qui a traversé la France hier, se trouve maintenant sur nos frontières de l'est et n'affecte plus qu'une petite partie de notre pays.

Les éclaircies se feront donc plus nombreuses aujourd'hui, mais tant que nous resterons sous l'influence des masses d'air instable et frais, originaires de l'Atlantique nord et que dirige vers nos latitudes la profonde dépression centrée près de l'Irlande, le temps sera marqué par des passages nuageux donnant quelques averses l'après-midi, et les températures demeureront assez basses pour la saison...

DEMAIN—Le temps sera généralement assez beau et légèrement plus chaud. Mais le ciel se couvrira de nouveau le soir en Bretagne à l'arrivée d'une nouvelle perturbation atlantique.

The Hovercraft

Le naviplane N.300 est un engin qui se déplace sur l'eau en utilisant la technique du coussin d'air. Mis au point par l'ingénieur Bertin, le N.300 pourra transporter près de 100 passagers ou 8 voitures, ou 13 tonnes de fret à une vitesse moyenne de 90 km. à l'heure. Long de 24 mètres, large de 10 m. 50 et haut de 7m 50, il pèsera 27 tonnes at aura une autonomie de trois heures. Mû par deux turbines motrices d'une puissance maximale de 3.000 C.V., il pourra affronter des vagues de 1m 50.

Le naviplane a été conçu de manière à permettre des aménagements différents en fonction de ses utilisations, civiles ou militaires. C'est donc comme transporteur de passagers qu'il commencera sa carrière

d'ici à un an en assurant un service régulier entre Saint-
Tropez et San Remo avec escales, notamment, à
Cannes, Nice et Monaco.

Le Figaro 23 May 1967.

Replay:—Match Prospects

L'entraîneur d'Angoulême reste fidèle à ses principes.

Malgré l'excellent comportement de ses réservistes
et en particulier du gardien Hughes et de l'ailier droit
Halberda dimanche, en championnat, il fera confiance
pour la deuxième édition de la demi-finale de Coupe
contre Lyon à sa formation habituelle.

Un véritable commando a été en effet mis sur pied
et c'est, une fois de plus, les qualités morales qui
constitueront l'atout essentiel pour les joueurs de
seconde division.

Cependant ces derniers ont pu se rendre compte à
Limoges que la supériorité technique des Lyonnais
n'était pas tellement évidente.

Dans quelles dispositions d'esprit se présenteront
les deux équipes?

Nul doute que les Lyonnais maintenant prévenus
abordent le débat de toute autre manière.

Ils n'ignorent pas en particulier qu'il leur faut tout
mettre en œuvre pour s'assurer l'initiative des opéra-
tions au milieu du terrain.

La rentrée de Maison qui, grâce à sa maîtrise technique et à son assurance, peut à la fois imprimer aux
actions les indispensables changements d'allure et
alerter ses partenaires dans d'excellentes conditions
constitue un facteur de réussite pour l'équipe de
première division. Encore Maison ne doit-il pas
succomber au désir d'effectuer de l'art pour l'art.

Les Lyonnais devront cependant se méfier des

'rushes' de Duhayot qui a posé de bien difficiles problémes au tandem Leborgnt-Glycinski.

Ils craindront également que Goujon par quelques coups de patte dont il a le secret porte l'estocade au moment le plus inattendu.

Mais l'équipe de première division évoluera cette fois dans une ambiance favourable. Sur le terrain de Saint-Etienne elle défendra pratiquement ses chances à domicile.

Le Figaro of 3 May 1967 (p. 23).